I0605210

El equilibrio emocional

Prácticos
Vivir Mejor

Isabel Menéndez

El equilibrio emocional

Obra editada en colaboración con Editorial Planeta – España

Bajo el sello editorial PAIDÓS M.R.
Avenida Presidente Masarik núm. 111,
Piso 2, Polanco V Sección, Miguel Hidalgo
C.P. 11560, Ciudad de México
www.planetadelibros.com.mx
www.paidos.com.mx

Diseño de la colección: Laura Comellas / Departamento de Diseño,
División Editorial del Grupo Planeta
Ilustración de la portada: © Martin Barraud / Getty Images

Primera edición impresa en España en Booket: enero de 2011
ISBN: 978-84-670-3582-7

Primera edición impresa en México en Booket: enero de 2023
ISBN: 978-607-569-359-0

Impreso en los talleres de Impresora Tauro, S.A. de C.V.
Av. Año de Juárez 343, Colonia Granjas San Antonio, Iztapalapa
C.P. 09070, Ciudad de México.
Impreso en México - *Printed in Mexico*

Biografía

Isabel Menéndez es psicóloga y psicoanalista nacida en Madrid, y ha alternado durante más de treinta años la práctica de la clínica con la divulgación de los grandes temas relacionados con el psicoanálisis. Premio periodístico del Colegio de Psicólogos por sus artículos publicados en la revista *Dunia*, escribe desde hace ocho años en la sección de Psicología del suplemento semanal «Mujer Hoy», que se distribuye con los periódicos del grupo Vocento. Colaboradora habitual de la revista *Mente Sana*, es autora de los libros *Relatos clínicos*, una antología de textos freudianos; *Alimentación emocional*, que trata la relación entre los sentimientos y los conflictos con la comida, y *Dejemos hablar al amor*, que explica qué nos pasa cuando nos enamoramos.

ÍNDICE

SEGUNDA PARTE

INDICADORES DE SUFRIMIENTO

Tercera parte
El extraño que llevamos dentro

Introducción

El equilibrio emocional

Creemos que dominamos nuestras vidas, lo que no es del todo cierto. Todos tenemos dentro una suerte de caja negra cuyos contenidos no sabemos, con frecuencia, descifrar. Estamos hablando del mundo emocional que habita en nuestro inconsciente y que a veces nos hace amar a quien nos perjudica, no nos deja defender lo que queremos, nos convierte en agresivas, nos impide dormir, o no nos deja comportarnos como desearíamos. Otras veces, en cambio, nos hace enamorarnos de quien nos quiere, nos ayuda a sentirnos bien con nosotras mismas, a amar a los nuestros, a entender lo que nos ocurre y a encontrar un equilibrio emocional que nos hace sentir el placer de vivir.

Conseguir disfrutar de un equilibrio emocional no es fácil. ¿Cuándo podríamos considerar que lo hemos alcanzado? Y, en el caso de carecer de él, ¿cómo podríamos conquistarlo? Quizá lo hemos logrado cuando sentimos que somos nosotras las que dirigimos nuestras vidas y, sobre todo, que nos gusta cómo lo hacemos. Cuando estamos conectadas con nuestros deseos y vemos cómo se cumplen nuestras expectativas; cuando nos encontramos rodeadas de la gente a la que queremos y a la que podemos acudir si la necesitamos; cuando sabemos defendernos y cuidarnos, es que hemos alcanzado autonomía y madurez. Tal situación señalaría un grado saludable de equilibrio emocional.

El deseo de independencia, así como el reconocimiento de nuestras necesidades afectivas, son signos de autonomía personal. A ello convendría añadir la capacidad de decir no a lo que nos perjudica, lo que es tanto como reconocer nuestras limitaciones. La madurez emocional implica haber alcanzado un acuerdo con nosotras mismas, lo que conlleva la capacidad de hacernos cargo de nuestra vida y de asumir las responsabilidades inherentes a nuestras ambiciones.

Muy al contrario, cuando no podemos disfrutar de lo que la vida nos ofrece, nos invade un malestar que con frecuencia se traduce en una queja continua, en angustia, en depresión, en dificultades en la relación con los otros. En tales situaciones se multiplican los fracasos amorosos y los conflictos cotidianos en el ámbito familiar y laboral.

Lo que no podemos expresar en palabras se manifiesta en conflictos en nuestra personalidad o en las relaciones con los otros, como veremos en la segunda parte.

Porque lo que no decimos y es importante para nosotras siempre nos afecta y se expresa en síntomas que provocan inestabilidad emocional.

La inestabilidad emocional femenina

A las mujeres siempre nos han atribuido una cierta inestabilidad emocional. No es casual que se nos tache de «histéricas» cuando los sentimientos nos desbordan y no podemos controlar nuestros afectos. La palabra «histeria» viene del griego *histery,* que significa útero. Designa el desbordamiento pasional de la «crisis de nervios». Aunque Freud señaló que la patología histérica también se da en los hombres, socialmente es considerada una enfermedad de mujeres. Si las mujeres somos más inestables emocionalmente, ¿por qué esa cualidad siempre encierra cierta designación peyorativa de lo femenino?

La ciencia médica ocupada en curar nuestro cuerpo explica la inestabilidad emocional a través de las hormonas. Pero si bien este factor juega un papel importante, lo que sucede en nuestro mundo emocional no solo pasa por las hormonas, sino también y fundamentalmente por motivaciones psicológicas. Referir los altibajos emocionales solo a la mayor o menor producción de hormonas es reducirnos a un cuerpo exclusivamente biológico. Y si bien el cuerpo existe, y hay que cuidarlo, el sistema emocional de la mujer padece tormentas internas porque su identidad sufre conflictos. Somos seres humanos sujetos a deseos inconscientes que desconocemos. Freud descubrió hace más de un siglo que los síntomas que padecían las mujeres a las que trató expresaban simbólicamente un conflicto. Esa inestabilidad emocional era, pues, la expresión de un combate entre lo que deseaban y no se atrevían a nombrar y la fuerza que empleaban en ahogar esos deseos.

Cuerpo y mente forman una pareja inseparable que a lo largo de toda nuestra historia se influye mutuamente. Crecen juntos, y juntos asisten a las inevitables transformaciones que sufrimos desde nuestro nacimiento hasta nuestra muerte.

La mujer es protagonista de grandes crisis corporales que van acompañadas de las correspondientes crisis psicológicas: la adolescencia, con la aparición de la menstruación y los cambios corporales que implica; la maternidad y el impacto físico y emocional que la experiencia de tener un hijo comporta; la menopausia y la revolución hormonal y psicológica que conlleva

El psicoanalista J. D. Nasio afirma que la identidad femenina se construye a lo largo de toda la vida y que así como el hombre confirma su identidad viril entre los seis y los quince años, la mujer la elabora incluso mas allá de la maternidad, como si la particularidad de la identidad femenina fuera precisamente enriquecerse a lo largo del tiempo.

La mujer hoy intenta compatibilizar el trabajo fuera del hogar con la familia y no asfixia su mundo emocional tanto como antes, pero sigue sufriendo crisis emocionales. La lucha entre las demandas externas y las internas sigue ahí.

Algunas mujeres, sobrecargadas de trabajo, se ven más afectadas por una cierta labilidad emocional o dificultad para controlar las emociones. La expresión de los sentimientos es rápida y se halla, a veces, fuera de la posibilidad de reflexión o dominio por parte del «yo».

El cuerpo psíquico femenino percibe la incidencia de los acontecimientos internos que su cuerpo biológico padece y que promueven una sensibilidad emocional distinta. Devenir en mujer y en madre implica una construcción, que pasa por lo que nuestro psiquismo procesa de todo aquello que sucede en nuestro cuerpo y lo que ello representa.

Una explosión emocional es normal cuando se produce de vez en cuando, pero cuando la mujer sufre continuamente explosiones de mal humor, tendrá que buscar una ayuda psicoterapéutica que le permita salir de la inestabilidad. En este caso, necesita ese espacio para pensar su feminidad y poner palabras a los sentimientos y afectos que la sobrepasan para así poder dominarlos y conseguir enfrentarse mejor a su fragilidad.

Cuando se cambia por dentro, la relación con el exterior y con los otros también lo hace. Es posible que el cambio que la mujer ha promovido en las últimas décadas tenga mucho que ver con su capacidad de mirar hacia dentro y hacerse cargo de su mundo emocional.

La supuesta inestabilidad emocional femenina, cuando su grado no es excesivo y se puede reflexionar, está íntimamente relacionada con la verdadera fortaleza psicológica, que consiste en aceptar la complejidad del mundo interno y la fragilidad como cualidades humanas.

Es posible que el rechazo a esa inestabilidad femenina esté expresando angustias y temores que tanto el hombre como la mujer tienen hacia el reconocimiento de las emociones.

El mundo emocional pertenece a aquello que menos podemos controlar y que nos hace sentirnos más vulnerables; quizá esta sea una de las razones por las que se huye de profundizar en él. Ahora bien, ¿se puede avanzar en el grado de satisfacción personal, libertad e independencia si no nos hacemos cargo de ese mundo interno?

¿El cambio que la mujer ha provocado y asumido en el último siglo hubiera sido posible sin cuestionar cómo nos sentimos e intentar hacernos cargo de nuestros deseos?

La inestabilidad emocional no es privativa de las mujeres, pero la forma de expresar los afectos es diferente en ellas porque culturalmente se les ha permitido la expresión de los afectos más que a los hombres, entre otras cosas porque la mujer era la encargada de administrar la vida emocional de la familia y de sostener la «fortaleza» masculina.

La inestabilidad en el hombre siempre fue socialmente disimulada sobre todo evitando mostrarle frágil y así poder preservarle un lugar de dominio y valentía.

La inestabilidad emocional no es necesariamente algo peyorativo. Hay momentos en la vida que es más saludable que lo contrario. Por ejemplo, después de la muerte de una persona querida, o cuando uno se enamora, o cuando se acaba el amor, o cuando se tiene un hijo, o cuando se tiene un éxito personal o profesional...

Si la inestabilidad es excesiva y habitual, la mujer sufre de hiperemotividad y se manifiesta en conflictos psicológicos que no le permiten protegerse de la continua invasión sentimental. En estos casos, necesita ayuda para entender lo que le ocurre.

A quién se dirige este libro

Este libro intenta promover interrogantes sobre algunas motivaciones que, mas allá de lo razonable, nos hacen romper nuestro equilibrio emocional. Busca aportar un método de conocimiento sobre lo que no sabemos de lo que nos ocurre para tratar de entender lo que nuestros síntomas intentan decirnos.

Se dirige a todas aquellas mujeres que desean preguntarse algo más acerca de por qué sufren; a todas aquellas que sospechan que su infelicidad y padecimiento aluden a movimientos psíquicos que desean ser dichos.

Este libro es un intento de recoger y transmitir algunas ideas que en su mayoría provienen del psicoanálisis.

La propuesta consiste en intentar escucharnos mejor para nombrar las inquietudes y formular las preguntas que nos aproximen a entender lo que se oculta tras algunos conflictos que sufrimos en la vida. Escogemos la designación de «equilibrio emocional» porque con ella tratamos de señalar que alcanzarlo es una forma de llegar a ser en la vida razonablemente feliz. Si tenemos el valor de acercarnos a nuestros sueños, si aceptamos nuestros deseos y nuestras limitaciones y llegamos a ser más tolerantes con nuestras carencias, también podremos disfrutar más de aquello que la vida nos ofrece.

PRIMERA PARTE

EXPRESIONES DE LA SALUD

La salud se expresa en una sensación de bienestar con la vida y sobre todo en la posibilidad de disfrutar de ella. Conocer nuestros límites y, más aún, amarlos, resulta imprescindible para gozar de un grado de salud mental que nos permita sentirnos bien con nosotras mismas y con los demás, a pesar de las inevitables pruebas, sorpresas y restricciones que la vida nos impone.

Se posee un saludable equilibrio emocional cuando se siente el placer de actuar y de enfrentarse a lo inesperado sin angustiarse. También cuando uno es capaz de adaptarse a lo nuevo sin nostalgia o tristeza.

La salud mental guarda relación con la capacidad de amarnos allí donde más débiles somos. Paradójicamente esto nos vuelve más fuertes, desde el punto de vista psicológico. Si amamos nuestras limitaciones, no tendremos miedo a perder el amor de aquellos que nos importan y sabremos cómo arreglárnoslas para realizar lo que deseamos en la medida de nuestras posibilidades.

Cuando nuestro mundo interno está bien amueblado, la relación con el exterior es mucho más gratificante porque elegimos desde la salud y no desde la patología, porque sabemos defendernos y enfrentar los reveses de la vida, porque hemos aprendido a amar.

1
Saber quererse

En busca del equilibrio

Para conquistar un saludable estado de equilibrio es preciso poseer un grado de conocimiento personal que nos ayude a reconocer nuestras carencias, así como a asumir nuestros deseos. La valoración que hagamos de nosotras mismas determinará nuestra vida. ¿Cómo y cuándo se forma ese juicio? ¿Podemos hacer algo para transformar la imagen que tenemos de nosotras?

El ambiente emocional en la infancia es determinante para el modo en que se viven más tarde los afectos. Por eso es muy importante la relación que los padres hayan tenido consigo mismos y entre ellos. Ante determinados conflictos de la vida adulta, cabría preguntarse si existió algún daño en el entorno maternal y familiar que haya podido influir en el proceso de construcción de la personalidad.

Si detrás de una mujer conforme con su feminidad y segura de sí misma encontramos a un padre que supo valorarla y que la respetó, además de una madre que ha disfrutado de su condición femenina, no es una casualidad.

Todo lo que se mueve alrededor de la opinión que tenemos sobre nuestra propia persona constituye un proceso complejo. No son los padres los únicos agentes que intervienen en su formación. También hay que tener en cuenta determinados factores de orden social y cultural del entorno. Gran parte de todo este caudal de influencias actúa sobre nosotros de manera inconsciente.

Todas tenemos una imagen ideal que ignoramos cómo se ha formado. A cada una le toca encontrar el punto medio entre esa imagen, con frecuencia inalcanzable, y lo que podemos ser. Llegará el momento en que debamos autorizarnos a ser diferentes del proyecto que nuestros padres y la sociedad han pensado para nosotras.

No hay proyecto mejor que el de acomodarse a una misma, con las gracias y las desgracias que la naturaleza o el entorno nos han proporcionado. Seducir pasa primero por seducirnos; para ello es preciso reconocer quiénes somos y plantearnos cómo queremos ser.

Quererse pasa por aceptarse

Aunque parezca contradictorio, lo que más contribuye al afianzamiento de la propia estima no es tanto el reconocimiento de lo que nos gusta de nuestra personalidad como la aceptación de nuestras debilidades y carencias.

Respetar nuestros límites nos ayuda a medir lo que podemos hacer y a desechar lo que no debemos afrontar; nos conecta con el placer y nos libera de ser tan exigentes con nosotras. Si conocemos y aceptamos nuestras limitaciones, no nos deprimiremos por no alcanzar metas que nunca nos debíamos haber trazado.

Quererse pasa por aceptarse. Las personas que ocultan o niegan sus debilidades son demasiado susceptibles a las críticas y dependen demasiado de los halagos: las críticas las hunden y los halagos engordan de manera artificial su narcisismo. La ausencia de criterio para juzgar los propios actos crea una inseguridad que repercute directamente en la opinión que la persona tiene de sí misma.

¿De dónde viene el amor que sentimos por nosotras?

El amor a uno mismo es heredero del que nos tuvieron otros: nuestros padres en primer lugar. Aprendemos a querernos como nos quisieron nuestros primeros objetos de amor. Si ellos fueron incapaces de establecer un vínculo afectivo saludable con nosotros, padeceremos dificultades para aceptarnos y querernos como somos.

Cuando sufrimos problemas de autoestima, conviene reflexionar sobre las expectativas que tenemos acerca de nosotros y cómo se formaron. Con frecuencia, el miedo a decepcionar a los padres nos conduce por derroteros que no deseábamos y que, una vez instalados en la edad adulta, nos devuelven una imagen indeseada de nosotros. Pagamos así una deuda que no sabíamos que habíamos contraído.

Como no nos aceptaron, no nos aceptamos; como no nos quisieron como esperábamos, no nos queremos como debiéramos. Los mecanismos psicológicos son conservadores, pues tienden a repetir lo que saben. Pero se pueden cambiar. Para ello, conviene investigar en nuestros deseos y preguntarnos con qué nos sentimos a gusto y con qué no. Las dificultades para quererse vienen de un desconocimiento de lo que ocurre en nuestro interior. La construcción de la identidad femenina pasa, en primer lugar, por una identificación con la madre y, después, por una diferenciación de ella. Este proceso esta marcado por la relación con el padre. La mujer que no se siente a gusto consigo misma es porque sale perdiendo en la comparación que hace con otra imaginaria.

Mi querida imperfección

La base sobre la que se apoya la posibilidad de ser feliz no se encuentra solo en nuestros éxitos y nuestras virtudes, sino en haber sido capaces de aceptar también nuestras imperfecciones, incluso de quererlas. Aprender de nuestros fallos, amarnos como somos (limitadas e imperfectas), nos provoca una paz interna que favorece la posibilidad de realizar algo de lo que deseamos.

La verdadera felicidad consiste en haber llegado a un acuerdo con una misma que nos conduzca a estimarnos como somos, sin autoengaños ni complacencias, sabiendo que toda conquista personal requiere un esfuerzo. Conocerse es quererse.

Virginia: la mirada interna

«Porque yo lo valgo», decía un anuncio de televisión en el que una actriz de rostro y pelo maravillosos anunciaba un producto de belleza. Virginia la miraba sentada desde su sillón y pensaba que la actriz era así de guapa porque, además de usar aquellos cosméticos, estaba satisfecha de sí misma. «Es lo mismo que me pasa a mí», se dijo, «que estoy contenta conmigo. ¿Por qué puedo ahora valorarme y antes no?».

Virginia tenía treinta y dos años y acababa de finalizar con éxito una psicoterapia. Pero no había olvidado su situación anterior, cuyos pormenores le venían a la memoria al escuchar el anuncio. Recordó que antes se esforzaba en complacer a su familia, a los hombres, a su jefe. Ponía tal empeño en no decepcionar a los otros que al final siempre obtenía el resultado inverso. Y cuando se producía la decepción, los otros la hacían sentirse como una inútil. Entonces perdía la noción de quién era ella, de sus propias necesidades, de lo que valía... Así, hasta que cogió una depresión.

Fue en la psicoterapia donde hizo consciente aquel deseo patológico de no decepcionar a nadie de su alrededor. También allí, en un proceso lento, pero sólido, aprendió a aceptar el hecho de que podía cometer errores sin que ello significara que fuera una inútil. Aprendió, en fin, a aceptar sus límites, a respetarlos y a obligar a los otros a que los respetaran. Conquistó esta situación cuando rompió los vínculos con un conflicto emocional remoto, del que ni siquiera había sido consciente, ligado a su vida familiar. Virginia siempre había intentado, sin conseguirlo, ser para su padre tan valiosa como su hermano, con quien se entendía mejor por ser hombre. Ese fracaso antiguo le hizo sentir que su padre no la apoyaba en sus iniciativas ni en sus proyectos porque la miraba con una cierta desvalorización. El padre no podía ejercer su función con ella porque tenía problemas para aceptar que era una chica y no la valoraba en sus iniciativas por ser mujer. «Pero eso ya no importa», se dice, «he aceptado que entre los límites de mi padre estaba su incapacidad para apoyarme. Ahora puedo apoyarme a mí misma porque he aprendido a mirarme de forma distinta a como él me miraba».

Entonces las cosas que ella podía hacer valían igual que las de otra persona, porque había aprendido a confiar en sí misma. Se valoraba y ya no se preocupaba de agradar tanto a los otros, porque ya no necesitaba conquistar el favor del padre para que este la entendiera.

La búsqueda del ser

La aventura más grande que podemos vivir consiste en adquirir conciencia de nuestro ser, viajar por nuestro propio interior y asumirnos con nuestros deseos, nuestros límites, nuestras contradicciones y nuestras carencias. Solo si estamos dispuestas a asumir nuestros límites estaremos cerca de llegar a querernos. Nuestro «yo» espera un reconocimiento por nuestra parte. Conseguimos este reconocimiento conociéndonos y sabiendo hasta qué punto actuamos para parecer y hasta dónde lo hacemos para ser.

Nacer implica enfrentarse a una tarea que nadie puede llevar a cabo por nosotras: la construcción de la identidad, a lo largo de cuyo proceso el «yo» consciente se va diferenciando poco a poco de nuestra madre, de nuestro padre, de los otros. Somos únicas e irremplazables, pero nos constituimos dentro de una amalgama de deseos que corresponden a otros. Descubrir los nuestros, saber quiénes somos y qué queremos es un proyecto que dura toda la vida.

«La mayor necesidad», escribió la filósofa María Zambrano, «es sentir alguna vez que coincidimos con nosotros mismos. Ser hombre es poseer esa interioridad que lo trasciende todo, esa interioridad inabarcable».

Quien no posee un cierto grado de egoísmo tendrá dificultades para poner límites en su vida. Solo si sabemos qué es lo que tiene que ver con nosotros y qué es lo que no; dónde acaba lo que deseamos y dónde comenzamos a actuar para los demás; quiénes somos y quiénes no, podremos llegar a vivir con responsabilidad y hacernos cargo de nuestra vida. El egoísmo, en una medida razonable, es indispensable para la salud mental. De él se alimenta nuestro «yo». Una vez reconocidas nuestras necesidades y nuestros deseos, nos sentimos legitimados para conseguir lo que queremos. Si no se es un poco egoísta, es difícil poner límites al otro. En tal caso, los vínculos están teñidos de miedo o sometimiento.

La transmisión cultural mantiene que es propio de las mujeres mirar más hacia fuera, hacia los demás, que hacia sí mismas. Si piensa en ella considera que es egoísta y que descuida a los otros. La demanda social ha consistido en mantener a la mujer en su papel de madre.

Lucía: «No seas tan egoísta»

Sí, era una egoísta, pero ya no le importaba. Al contrario, estaba orgullosa de serlo. Lucía se había ido de viaje con unas amigas, dejando a su marido y a sus dos hijas en casa. Antes de salir, había llenado la nevera de comida, para aliviar la culpa, pero ahora se sentía muy bien. Tenía derecho a cuidarse.

Lucía era peluquera y había dejado las tijeras y el peine por las labores del hogar. Volcada siempre en las necesidades de los otros, se había olvidado de sí. Ahora que sus hijas adolescentes la llamaban pesada y controladora, se preguntaba si lo había hecho bien como madre y se planteaba volver al trabajo. Sin saberlo, Lucía había intentado toda la vida adecuarse al modelo de mujer que su madre le pedía.

Durante su infancia había escuchado miles de veces la frase «qué egoísta es esta niña», recriminación que siempre le hacía cuando no quería compartir un juguete. Ya de mayor, su madre seguía utilizando expresiones del tipo de «atiende a tus hijas», «atiende a tu marido», «atiende la casa». Jamás le preguntaba cómo se cuidaba ella. En definitiva, su madre la veía como ella misma había sido. Lucía, en cambio, había promovido en sus hijas la posibilidad de ser distintas, de disentir incluso de sus consejos maternales, lo que es fundamental para que las adolescentes conquisten una identidad propia.

Con frecuencia se había culpado hasta de sus cambios de humor, que atribuía a los sofocos de la menopausia. Casualmente desde que dejó de «sofocar» su deseo de viajar con amigas y plantearse volver a trabajar, los sofocos se aliviaron un poco. Era una buena época para comenzar a ser «egoísta» y cuidarse. Dejaría de ser la controladora de sus hijas y comenzaría a controlarse a sí misma. Había comenzado a pensar cómo quería ser y qué quería hacer, porque hasta ahora solo había hecho lo que se debía hacer.

Consuelo: un libro de autoayuda

Consuelo leía un libro de autoayuda mientras se tomaba un café. Siempre le había interesado la psicología y tenía muchos libros que la ayudaban a entenderse un poco mejor. Había salido de la oficina enfadada, porque sentía que le daban más trabajo del que le correspondía, aunque ella nunca protestaba. Después había ido a comprar algo de comida y una mujer, en el supermercado, le había dicho en mal tono que no se colara, pues ella había llegado antes, lo que no estaba del todo claro. Consuelo fue incapaz de defender su sitio y le pidió perdón, diciendo que no se había dado cuenta. Luego se sentiría furiosa, pero cuando la trataban mal, en lugar de defenderse, pedía perdón o se disculpaba, dando siempre por supuesto que era ella la «culpable» del problema.

Una amiga le había dicho que se dejaba manipular porque no tenía autoestima, y debía de ser verdad. Consuelo comenzó a hacerse preguntas y a buscar en las páginas del libro algunas respuestas a esa dificultad suya para afirmarse, para darse a valer, como le aconsejaba su amiga. ¿Por qué no se valoraba a sí misma? ¿Por qué en la comparación con otra siempre salía perdiendo? ¿Por qué pensaba que cuando la halagaban era por pena? ¿De dónde venían esos pensamientos tan nefastos?

El libro daba algunas pautas: el primer paso era identificar sus pensamientos negativos y hacer consciente el problema; dejar de culpar a los demás de lo que la ocurría y reflexionar sobre qué tenía que hacer para cambiar su situación. Las pautas eran razonables, pero le costaba llevarlas a cabo. Debía confiar más en sí misma, desde luego, y dejar de buscar tanto la aprobación externa, pero, ¿cómo conseguirlo?

Las dificultades con las que tropezaba Consuelo tenían su origen en complejos inconscientes cuya influencia resultaba determinante y que pudo resolver en una psicoterapia. Su padre había sido una persona triste, que siempre se quejaba de lo que no había podido hacer. Se sentía un fracasado. Su hija había tratado siempre de compensar con su amor la infelicidad paterna, pero había quedado atrapada en esa relación. Se había identificado con su padre y se sentía, como él, una fracasada, porque funcionaba en su interior una fantasía imposible y omnipotente: la de salvar a su padre de su situación: algo irrealizable, pero que le daba a ella un estatus superior al de su madre, con la que rivalizaba. El precio de esa rivalidad era un sentimiento de culpa que aliviaba fracasando, como su padre.

Consuelo quería convertirse en el «consuelo» de su padre, lo que la mantenía en una posición tan infantil como omnipotente, ya que no aceptaba que los problemas de sus padres no tenían que ver con ella y por tanto no los podía resolver. Los niños creen que ellos son los que mueven el mundo de sus padres, porque en principio no conocen ni sus limitaciones ni las de sus progenitores. Compensan con sus fantasías su poca capacidad para dominar lo que les rodea.

El «yo» primitivo

La autoestima se construye a medida que el niño abandona la omnipotencia primitiva de los primeros momentos de la vida. El «yo» se va fortaleciendo a la vez que el niño resuelve sus propias necesidades en función de los retos del mundo externo. Cuando consigue aceptarse, logra una mejor relación con los otros, lo que le hace también más tolerante con los demás, ya que no ve en ellos al juez que muchos se niegan a aceptar en sí mismos.

Tras la falta de autoestima se encuentra una exigencia desmedida. La persona no se quiere como es y piensa que los otros tampoco la aceptan porque no es valiosa. Ahora bien, siempre que ocurre esto es porque la persona se ha comparado con un ideal y ha salido perdiendo.

Los libros nos sirven para aumentar el conocimiento de lo que nos ocurre y reflexionar acerca de nuestro mundo; nos ayudan a entendernos, pero cuando las dificultades persisten es porque estamos atrapados en complejos inconscientes que los libros evocan pero que no pueden resolver, pues se encuentran más allá del mundo racional. Si bien pueden ayudarnos a encontrar pistas sobre por dónde tenemos que dirigir nuestros pasos para encontrar el camino que nos conduce a un mayor bienestar.

Las modulaciones de la autoestima dependen de muchas variables: el haberse sentido querido durante la infancia, por ejemplo, favorece la constitución de un «yo» más firme. Por el contrario, las experiencias tempranas de abandono, soledad e incomprensión y las tensiones entre los padres fomentan una inseguridad personal que rebaja el grado de autosatisfacción. No obstante, a través de una elaboración psicológica llevada a cabo en una psicoterapia se puede recuperar la confianza en una misma, como les ocurrió a Virginia, a Lucía y a Consuelo.

Una personalidad falsa

Cada mujer tiene una mirada interna que la aprueba o que la rechaza. Esta mirada puede ser muy severa a la hora de resaltar nuestras debilidades.

Si nos adaptamos a lo que nos piden por temor a perder la estima del otro, se produce un sometimiento que hace que la autoestima se resienta. Creemos que no nos querrán si nos mostramos como somos, por eso nos mostramos como los otros esperan que seamos. Si esta actitud inmadura permanece a lo largo de la vida, la persona que la sufra se sentirá continuamente desvalorizada.

A veces, en este estado de cosas, algunas mujeres llevan a cabo un gran esfuerzo de adaptación a las supuestas necesidades de los otros, sin tener en cuenta los deseos propios. En tales casos se organiza una personalidad ficticia. Por el contrario, cuando se ha conseguido realizar algún deseo personal, respetando los propios intereses, la mujer dará un valor positivo a todas las realizaciones en las que se sienta implicada. Hay que tener valor para respetar lo que se quiere hacer.

Qué es el «ideal del yo»

Se trata de una instancia de la personalidad que resulta de la convergencia de las idealizaciones infantiles. Primero, de las del propio sujeto; después, de las identificaciones con los padres; más tarde, de los ideales sociales y colectivos que funcionen en la época. Así, el «ideal del yo» constituye un modelo interno al que la persona intenta ajustarse.

Se trata, pues, de una formación que se encuentra en nuestro psiquismo y que le sirve al «yo» como referencia para apreciar las realizaciones que se han conseguido. Las califica y las valora comparando lo que hace el «yo actual» con lo que haría el «yo ideal».

Para el psicoanálisis, el «ideal del yo» forma parte de la instancia denominada «super-yo», pero se diferencia de ella. El «yo» aceptaría los preceptos morales que le impone el «super-yo» por miedo al castigo, mientras que aceptaría los que le pide el «ideal del yo» por amor.

La relación con nuestro cuerpo

Las mujeres somos especialmente duras en las críticas que hacemos al cuerpo, al que a veces tratamos como a un extraño con el que no nos llevamos bien. Casi siempre rechazamos una parte de nuestra anatomía. Pensamos que nos falta de aquí, o nos sobra de allá. Por exceso o por defecto, es difícil que estemos contentas con él.

En la relación con el cuerpo se puede ir desde el sometimiento absoluto a los modelos culturales hasta el abandono total, porque se renuncia a competir con una imagen inalcanzable. Cuando las exigencias son muy altas, más que cuidarlo lo maltratamos, sometiéndolo a operaciones estéticas, fármacos, cirugía, dietas estrictas y un sinnúmero de tratamientos agresivos. Cuando lo abandonamos, se hace más patente la poca estima que tenemos hacia él. La queja contra nuestro cuerpo es una autocrítica en la que se trasluce una dificultad para aceptarse a una misma. La realiza aquella que no se acaba de querer. ¿Por qué?

La relación con el cuerpo está mediatizada por los sentimientos que tenemos hacia nuestra propia persona. Influye, pues, la distancia existente entre cómo somos y cómo nos gustaría ser, así como la capacidad que tengamos para aceptar las debilidades personales y las imperfecciones corporales. Si la distancia entre lo que deseamos y nuestras posibilidades reales de alcanzarlo es muy grande, aparece el sufrimiento. Conviene señalar que, si bien tenemos una idea propia y subjetiva de nuestra imagen corporal, en un principio nos vino de fuera.

En efecto, la primera vez que nos encontramos con nuestra imagen, alrededor de los dieciocho meses, es cuando nos reconocemos en el espejo. Se trata de un momento de júbilo, de satisfacción, pero para que esto se produzca le antecede una operación de reconocimiento por parte de un adulto. Si se observa a un niño mirarse en el espejo, se comprobará que señala su imagen con signo de interrogación, buscando en el adulto una respuesta. Entonces se suele escuchar la siguiente frase: «Esa eres tú». La niña ríe, muestra alegría al verse ahí fuera, alienada, pero entera. ¿Por qué se pone tan contenta? Porque en esa imagen reconoce un todo corporal; recoge de un solo golpe la imagen conjunta de su cuerpo, cuerpo que hasta ese momento se comunicaba con el mundo a través de una serie de percepciones y sensaciones localizadas en algunas zonas de la piel. Tales percepciones, productoras de placer o de malestar, habrán de inscribirse en la historia de sus gustos.

La primera vez que unifica su imagen corporal, la niña delimita su «yo», es decir, separa su persona de lo que no es ella y comienza a diferenciarse de ese mundo en el que se hallaba inmersa sin límite alguno. Ese «yo» del que nos creemos tan propietarias se conforma, pues, en una imagen externa por medio de unas palabras que nombra otro. Antes de que la niña se reconozca, ya lo hacían sus padres, porque al mirarla, al nombrar sus partes y al alabar algunas zonas de su cuerpo, estaban preparando el momento en que la niña llegaría a reconocerse con el sustento de esa otra mirada a la que interrogan.

Nos liberamos de esa dependencia respecto a la mirada del otro a medida que vamos ganando en autonomía y perfilando nuestros propios deseos. Interiorizamos esa mirada como propia, es cierto, pero a veces no hemos aprendido a mirarnos de forma diferente a como creímos que nos miraban. Si no lo hicieron con afecto, no podremos organizar de manera adecuada nuestro cuerpo ni la imagen que deseamos tener de él. Aceptamos plenamente nuestro cuerpo cuando hemos podido organizar una biografía afectiva que no niega las imperfecciones y no teme a quedarse sin el amor del otro; también cuando nos hemos encontrado con alguien que, reeditando las primeras sensualidades infantiles, despierta nuestro cuerpo al placer. Pero nos aceptamos, sobre todo, cuando nos preguntamos cómo nos queremos ver y no cómo creemos que nos ven. Todas sabemos que lo que más embellece es sentirse bien, conectada con los deseos propios, porque esto produce un acuerdo con una misma.

Lara: el deseo de tener curvas

Lara, que ha engordado últimamente algún kilo, se mira en el espejo y sonríe con placer. Cuando alguien le señala su aumento de peso como si fuera una desgracia, ella dice que está muy contenta. ¿Por qué? Esta sociedad promueve la delgadez como un atributo femenino, pero la delgadez, cuando es excesiva, no se acerca a la feminidad, sino que la ataca. Elimina la curva del cuerpo femenino para convertirlo en andrógino.

Lara siempre fue muy delgada, pero nunca se encontró a gusto consigo misma al sospechar que esa ausencia de curvas era la representación de una incapacidad para aceptar su sexo, su feminidad. Lo que ella no podía decirse lo decía su delicado cuerpo. Siempre tuvo una discrepancia entre cómo la miraban y cómo se sentía. Para ella su delgadez representaba la imposibilidad de tener las curvas que definen a la mujer.

El hecho de engordar unos kilos y poseer curvas la hace sentirse más compenetrada con su cuerpo. Y esto coincide con una relación de pareja por fin gratificante, coincidencia que no es casual: Lara sabe que sentirse querida como mujer tiene mucho que ver con aceptar su feminidad y con poder disfrutar de su cuerpo. Ha conseguido quererse, que siempre es el mejor tratamiento corporal.

Cómo vivimos el paso del tiempo

Somos el resultado de un cuerpo carnal que envuelve a otro cuerpo psíquico. Este guarda las imágenes mentales del primero y es el responsable de que nos veamos bien, incluso nos gustemos, o por el contrario nos odiemos y nos sintamos prisioneras de un cuerpo que nos disgusta. Las imágenes mentales que guardamos acerca de nosotras tienen relación con nuestra historia afectiva. Guardamos clichés de cómo nos han mirado y a través de ellos nos reconocemos, aunque el espejo nos esté devolviendo una imagen actual que ya nada tiene que ver con formas pasadas.

El paso del tiempo sobre nuestro cuerpo y nuestro psiquismo nos coloca ante la aceptación de pérdidas para después poder ganar lo que el crecimiento personal proporciona. El paso del tiempo nos hace perder la infancia y la juventud, pero nos proporciona la energía del adulto, la capacidad de tener hijos, la creatividad y la sensación de independencia. Se abandona la imagen de niña y se construye la identidad de mujer. Luego perdemos la energía de la madurez, pero alcanzamos la sabiduría de la vejez, la tolerancia, la capacidad de disfrutar de lo que nos hemos creado y de ver crecer a los que dejamos atrás. Entonces también nos toca construir la imagen de esa mujer que envejece. Solo si nos queremos lo suficiente, conseguiremos tener la belleza de una anciana que ha conseguido estar satisfecha de su vida.

Cuando somos capaces de sentir el paso del tiempo como algo enriquecedor, hemos aprendido a solucionar el reto personal más difícil que se nos plantea a lo largo de la vida: el de alcanzar el equilibrio que proporciona estar de acuerdo con quiénes somos y cómo somos.

Cuerpo y mente forman una pareja inseparable que se influyen mutuamente a lo largo de la vida. Crecen juntos, y juntos asisten a las inevitables transformaciones que sufrimos, desde nuestro nacimiento hasta nuestra muerte.

Llegar a llevarnos bien con nuestro cuerpo y disfrutar de su capacidad sensual proviene de una construcción interna primero de nuestra mente que podríamos denominar nuestro cuerpo psíquico. Este cuerpo tiene las formas de nuestras esperanzas, los huecos de nuestras decepciones y el calor de nuestros amores, es un cuerpo lleno de deseos, unos posibles y realizados, otros frustrados porque son imposibles de llevar a cabo. Ese cuerpo se funde con nuestro cuerpo carnal y promueve en él excitaciones y movimientos que nos hacen sentirnos bien con nosotras mismas y con nuestra feminidad. El tiempo juega a nuestro favor cuando hemos decidido transformar aquello que no nos gusta y conseguir lo que queremos. Solo hay que luchar por ello.

Jimena: las grietas que abre el tiempo

A punto de cumplir cuarenta y ocho años, Jimena se hallaba inmersa en emociones encontradas. No podía evitar hacer balance de su vida. En lugar de cumplir un año, parecía que se despedía de una época. Lo cierto es que estaba triste. Hacía balance de su vida y no estaba segura de que este fuera positivo. Se irritaba por cualquier cosa, sus hijos la cansaban y cada día se encontraba más alejada de su marido: la rutina y el tiempo habían echado a perder el amor que se tenían, ya no se fijaba en ella como antes. De repente, se encontraba mayor y se sentía aburrida.

Si su situación emocional era mala, su cuerpo aún empeoraba el malestar que sentía. En el último tiempo había ido engordando sin darse mucha cuenta y comenzaba a verse en el espejo como un tonel sin formas. Jimena es una mujer atractiva y con un cuerpo espléndido, que hasta ahora le había servido para tapar su falta de autoestima; con su belleza física compensaba la carencia de una subjetividad equilibrada. Pero su cuerpo empieza a dejar de ser casi perfecto, las brechas que en él se abren apuntan a otros fallos antiguos, pero indelebles, que salen a la luz por las grietas que el tiempo empieza a abrir. Después de consultar con un endocrino y con su ginecóloga, decidió acudir a una psicoterapia para superar la tristeza que se había apoderado de ella. En el tratamiento descubrió aspectos decisivos en su historia afectiva. Jimena nunca consiguió, por ejemplo, que su padre mirara con suficiente atención sus logros escolares. Siempre pensó que él nunca se había sentido orgulloso de ella. Sus notas eran buenas en aquello que él consideraba que no tenía importancia, como el dibujo y los trabajos manuales.

Pocos meses después de su cumpleaños, Jimena se había empezado a reconciliar consigo misma. Comenzó a asistir a clases de restauración. Retomó así un deseo infantil desatendido y empezó a expresarse de una forma que le gratificaba. Su vida, como los muebles que reparaba, emprendió una reconstrucción. Comenzó a cuidarse porque estaba empezando a quererse.

CUIDARSE

Las mujeres tenemos muchas y variadas formas de cuidarnos. Cuando hablamos de belleza o moda, la conversación resulta estimulante porque a través de estos asuntos hablamos también de la feminidad. No es raro, pues, que en estas conversaciones departamos acerca de la relación que tenemos con nuestro cuerpo o con la mirada de los otros sobre él, así como de nuestro deseo de gustar o seducir. Al hilo de una conversación sobre qué ponerse o qué crema usar, salen a la superficie temas íntimos que nos preocupan.

Sandra: compartir cosas de chicas

—Estás muy guapa —le dice Sandra a su amiga Maite—, siempre encuentras lo que mejor te va. Ese suéter gris tan largo, con esos leguins, te hacen más alta y delgada. Combinas los colores como nadie y te maquillas estupendamente. ¿Cómo lo haces? Me gustaría tener esa habilidad, ahora que puedo permitírmelo, porque antes no me fijaba en estas cosas, me parecía de mujeres pijas e insustanciales.

Maite se ríe y le cuenta a Sandra que le sale tan bien porque disfruta haciéndolo.

—No sé por qué —añade— me gustan tanto la ropa y los cosméticos. Me encanta cuidarme, aunque no creas que empleo mucho tiempo. Yo creo que todo esto tiene bastante relación con mi madre. Para mí, salir de compras con ella de niña era una fiesta y me decía lo bien que me quedaba esto o aquello. Siempre me compraba algo y me decía: «Mira qué bien te sienta». Yo creo que lo que mejor me sentaba era lo bien que lo pasaba con ella, compartiendo cosas de chicas. Tenía muchos cosméticos y aquellos colores siempre me parecieron fascinantes.

Sandra escucha el relato de su amiga y le dice:

—Mi relación con todas estas cosas ha cambiado después de la psicoterapia. Verás, estuve yendo a un tratamiento porque me encontraba mal, no sabía bien lo que buscaba, pero me di cuenta de que el tratamiento terminó cuando me pude decir a mí misma: «Ya he encontrado mi belleza». Hasta entonces solo eran los otros lo que me autorizaban a estar guapa o no, y nunca lo hacían. El análisis me enseñó que esta mirada, que yo sentía como devastadora por parte de los otros, era en realidad la de mi madre. Durante toda la infancia estuve convencida de que mi madre no me encontraba guapa. Siempre decía que el guapo era mi hermano y yo la inteligente. Cuando esa mirada dejó de tener efecto sobre mí, empecé a cuidarme. Por eso quiero saber qué me queda mejor y que me digas cómo lo haces tú.

—Me parece que ahora que has llegado a quererte, solo tendrás que dejarte llevar y ponerte aquello que más te guste a ti.

Maite le señala a su amiga que cuando una mujer llega a quererse también consigue tener su propio criterio acerca de sí misma.

Mimarse, cuidarse, acicalarse, regalarse tiempo, darse una dosis de cariño, jugar con la ropa para encontrar lo que más gusta es ocuparse de una misma, y esto puede vivirse bien o mal, depende del afecto que nos tengamos y de cómo hayamos aprendido a querernos. La capacidad de ocuparse de uno mismo no la tiene todo el mundo. Depende, entre otras cosas, del grado de libertad que hayamos conquistado y de la relación que tengamos con el sentimiento de culpa.

El psicoanalista Samuel Lepastier afirma que se trata de hacer con una misma lo que la madre hace con el bebé, «ya que los actos de achuchar, poner talco, cambiar pañales, van mucho más allá del cuidado higiénico». A través de estos gestos, el bebé aprende a relacionarse con su cuerpo y organiza la relación con los otros. Cuidarse a uno mismo es por lo tanto retomar esa primerísima experiencia indispensable en el ser humano para crecer. No se trata por lo tanto de una complacencia narcisista, sino un modo de reconstruirse, de hacerse más disponible para los otros, de valerse por sí sola y por lo tanto de renunciar a la idea de que alguien lo haga en nuestro lugar.

Una madre que ha sabido cuidar a su hija sin ser demasiado posesiva y sin rivalidad; que ha sabido dar espacio y seguridad en lo relativo a su feminidad, y que proporciona la posibilidad de tener confianza en una misma y disfrutar de todo lo que tiene que ver con la feminidad, transmitirá a su hija un criterio para valorar en qué consiste su propia belleza. Algunas madres inmaduras, a disgusto consigo mismas o rivales de sus propias hijas, pretenden guardar lo femenino solo para ellas y no valoran a sus hijas como mujeres. Más adelante, cuando estas niñas, convertidas en mujeres, quieran ponerse guapas, lo harán fatalmente «contra» la madre, por lo tanto de un modo agresivo y rival. Cuando una niña juega a ser mujer, lo ideal es que tenga una madre tierna y protectora a su lado, que le enseñe sin duras críticas y le diga que más adelante podrá usar lo que a ella le guste. El tipo de mirada que el padre dedica a su hija es también muy importante; de su cariño o de su indiferencia depende nuestra relación con nosotras mismas.

Cuando algún conflicto no nos deja disfrutar de nuestras posibilidades, la introspección es una buena receta para descubrir en qué reside nuestra propia belleza.

Embellecerse

El hecho de que una mujer se sienta más o menos atractiva guarda una relación directa con cómo se ve frente al espejo, pero sobre todo con el equilibrio que haya logrado alcanzar entre cómo deseaba ser y cómo es. Esa forma de armonía interna es la base sobre la que se siente bella y la que le conduce a aceptarse como es, lo que a su vez la impulsa a quererse y cuidarse con el objeto de no perderla. El acuerdo con su feminidad resulta indispensable para conquistar este estado emocional.

Hay factores externos, culturales y de moda que influyen en la idea que una mujer se hace de sí misma, pero estos siempre se combinan con factores internos, que son los determinantes para que una mujer se sienta a gusto consigo misma.

Celia: seguir siendo niña

Lourdes se pintaba las uñas con una sonrisa mientras escuchaba su música favorita y disfrutaba imaginando lo bien que se lo iba a pasar en la fiesta, con sus amigos. Le gustaba arreglarse, combinar los colores de las uñas con el de los labios y la sombra de ojos. Mientras jugaba con aquella amplia gama de cosméticos, Celia, su hermana pequeña, se acercó y le preguntó señalando los esmaltes:

—¿Qué color me queda mejor a mí?

—El que tiene tono marrón —le respondió Lourdes.

Celia tiene veinte años, es pelirroja, con pecas, y siempre ha visto su cara un poco infantil como para pintarse y maquillarse, no sabe cómo hacerlo. Su hermana mayor es guapa y alta, y todo parece hecho para ella. A Celia le cuesta utilizar cosméticos, pese a que, cuando se pinta y se maquilla un poco, se siente mucho más segura de sí misma, pues tiene la impresión de perder su lado infantil. Para ello, siempre tiene que pedir ayuda a su hermana o sus amigas, que eligen la ropa que le va y le aconsejan sobre los cosméticos que debe utilizar. Entonces se saca mucho más partido y se encuentra más a gusto consigo misma. ¿Por qué no lo puede hacer ella sola? Celia se reprocha su rostro infantil y se ve como una niña o como una adolescente porque es la pequeña de cuatro hermanos y se siente un poco prisionera de este papel. Aunque disfruta y se siente mejor cuando se arregla, por otro lado parece que se siente a gusto en el papel de pequeña, que ella asocia de forma inconsciente a ser la preferida de sus padres. A Celia le vendría bien reflexionar sobre por qué no puede autorizarse a ser una mujer como su hermana.

Poseemos nuestra propia imagen interna que contiene la síntesis viva de todas nuestras vivencias emocionales. Esa imagen recoge todas las experiencias que se han mantenido con otro y que repetidamente han sido vividas a través de sensaciones que han excitado partes de nuestro cuerpo, incluso antes de tener conciencia de un «yo». Se trata de una imagen propia y personal para cada una de nosotras y está ligada a nuestra historia afectiva y sensual.

En esa historia, atravesamos primero la infancia, donde fuimos atendidas por nuestra madre, que es la primera en utilizar sobre nuestro cuerpo productos que lo cuidan (talco, cremas, etc.), todo ello acompañado de palabras y afectos que quedarán asociados a un intercambio de vivencias con el otro. Más tarde, en la adolescencia, la niña se imagina cómo quiere ser cuando sea mujer. Se fija entonces en mujeres a las que admira, que se convierten en modelos para ella, y a las que quiere parecerse. Estas mujeres, como en la infancia lo estuvo la madre, están idealizadas y se ven con los ojos del amor y de la admiración. Falta algo que se construye con la edad y es la generosidad y la sabiduría de aceptar a las mujeres, incluida la madre, tal y como son, con defectos y debilidades, con posibilidades y carencias.

Solo si queremos a una mujer así y nos comparamos con ella, podremos llegar a sentir el bienestar de mirarnos en nuestro espejo interno y vivir nuestra feminidad como un don que nosotras podemos alimentar. La mujer real es la que puede disfrutar de lo que la vida le ofrece, incluidos los cosméticos, que utilizará como un juego que su feminidad le permite.

El espejo interno

El cuerpo que exponemos a la mirada de los otros está mediatizado por una mirada interna de la que en parte no somos conscientes. En muchas ocasiones no coincide lo que nos dicen con lo que vemos.

Todos tenemos un espejo interno cuya imagen proviene de cómo nos miraron los padres, de las cosas que nos dijeron y de las fantasías que nos hicimos de acuerdo a los modelos de la época.

Este espejo puede cambiar la imagen que proyecta según vamos encontrando el equilibrio entre cómo somos y cómo queremos ser. Solo si nos conocemos y llegamos a estimarnos, podremos llegar a tener con nosotras mismas una intimidad que nos hará comprometernos con nuestros cambios vitales y corporales.

2
El amor

La relación amorosa

El modo en que vivimos el amor marca la temperatura de nuestro equilibrio emocional. El deseo de ser alguien para el otro nos empuja a amar. Ello es posible cuando hemos aceptado algunas de las condiciones que la relación amorosa conlleva. Una de ellas sería no tener miedo a la dependencia. ¿Es posible acaso amar sin tener miedo a perder al ser amado? Amar a alguien significa aceptar que nuestro deseo nos conduce a él, porque nos aporta lo que no tenemos. Dependemos de ese alguien en la medida en que dependemos de nuestros deseos. Reconocerlos es tomar la vida en nuestras manos. El psicoanalista J. D. Nasio dice: «El amado es aquel que me da alas y me las quiebra a la vez», queriendo significar que el amado es el más maravilloso excitante del deseo, pero también el que nos limita. Podemos aceptar la dependencia del ser amado cuando hemos construido una identidad firme y hemos tenido libertad para aceptar lo que deseamos. Solo desde determinado grado de salud mental nos podemos llegar a querer allí donde somos más vulnerables, allí donde somos más humanos, y el terreno en el que nos sentimos más vulnerables es el del amor. El miedo al compromiso amoroso es el miedo a depender del otro. Se da cuando no se ha aprendido a conciliar la libertad con el amor. En tal caso, se es esclavo de deseos y miedos inconscientes, de temores que no conocemos pero que actúan poderosamente contra nuestra libertad. En muchas ocasiones la imposibilidad de amar y las dificultades para sostener en el tiempo una relación vienen determinadas por el miedo insuperable a volver a sentir un desamparo excesivo vivido durante la infancia, época en la que somos absolutamente dependientes de los adultos, en primer lugar de la madre.

En la relación con ella comienza nuestro aprendizaje del amor. Muy cerca, aparece el padre. La constitución de nuestra subjetividad y nuestra autonomía se van construyendo poco a poco en la interacción con ambos. Si en los cimientos de esa construcción quedaron heridas abiertas, que no pudimos elaborar psicológicamente, nos defenderemos del encuentro amoroso por miedo a que el edificio de nuestra identidad se derrumbe. Otra de las formas de defenderse de este peligro consiste en separar las relaciones sexuales de los afectos, pues esta opción permite obtener placer sin soportar los peligros de la intimidad afectiva.

El amor que se mantiene en el tiempo es un amor que acepta la influencia del otro y tiene confianza en él. Para que se produzca hay que aceptar la distancia entre los deseos y la realidad vivida.

En este contexto, las experiencias de amor compartido tejen una unión profunda que ayuda a relativizar las inevitables decepciones. El riesgo de dependencia parece menos peligroso y son posibles momentos de plenitud. Ya no estamos en el todo o nada; hay un espacio entre la pasión y la ruptura. Ese espacio es el del amor. El amor se crea entre el respeto a la libertad de ambos y el reconocimiento de la dependencia afectiva de cada uno.

Un amor así necesita un trabajo personal previo. Para que el amor subsista, tenemos que intentar mantenernos siendo dos allí donde lo que llamamos amor nos empujaría a ser uno. Tal amor tiene que tener unas buenas bases de autoestima, ya que se trata de un amor libre en el seno del cual uno acepta la libertad del otro y soporta incluso su partida, precisamente porque no depende totalmente de él.

La extrema dependencia es tan perjudicial para el amor como la idea de que no debe existir ninguna. Cada uno debe ponerse en cuestión, mostrar su comprensión hacia el otro cuando falla, intentar colocarse en su lugar y ser capaz de descentrarse, lo que consiste en no ver al otro siempre y solo en función de uno mismo.

Gema: querer sin miedo

Gema había tenido tres parejas a lo largo de los últimos cinco años. Al principio todo era romántico y encantador, pero cuando llevaban un año juntos, la relación comenzaba a estropearse. Al terminarse la pasión, venía la ruptura. Sus parejas se convertían en agobiantes para ella, sentía que la controlaban. Eran hombres celosos, que querían saber dónde estaba siempre, lo que provocaba en Gema una opresión que daba al traste con todo. Entonces aparecía otro amor. Al principio, creía que esta nueva relación la salvaba de la opresión anterior, pero lo cierto es que la historia se repetía. Decidió entonces tener relaciones sin implicarse en ellas emocionalmente.

Se encontraba en esta situación cuando la muerte repentina de su madre la sumió en una depresión que le impidió trabajar durante unos meses. Para resolver su dolor acudió a una psicoterapia, donde descubrió los motivos por los que tenía tan «mala suerte» con los hombres.

Gema siempre se sintió abandonada por su madre, y su muerte reavivó todos los abandonos anteriores. Cuando era muy pequeña, por razones familiares, estuvo «interna» en un colegio durante mucho tiempo. Jamás había querido darse cuenta del desamparo enorme que aquella situación le había hecho sentir. Sus parejas eran elegidas por ella con el deseo de que la dejaran sentirse libre, pero con el impulso inconsciente de que la controlaran y la «internaran» en casa. De hecho, elegía hombres muy dependientes, que acababan intentando controlarla, algo que su madre nunca había hecho.

Gema teme un deseo e intenta evitar un dolor. Teme reconocer su deseo de ser controlada y quiere evitar el dolor de ser abandonada. Después de comprender por qué sus relaciones fracasaban, Gema comenzó a sentir que ya podría querer sin tanto miedo. Había pasado de echar la culpa de sus fracasos a los hombres a preguntarse por qué ella elegía a hombres que luego tenía que abandonar.

Poco después de la psicoterapia, conoció a Juan, con el que lleva tres años y con el que desea tener un hijo. Ahora ya se puede plantear la posibilidad de aceptar que alguien dependa de ella, porque ha reconocido sus dependencias, lo que, lejos de hacerla mas frágil, la ha vuelto más fuerte. Haber asumido su fragilidad la ha convertido en una mujer sin temor a la dependencia que el amor provoca.

De la pareja ideal al hombre adecuado

El hombre y la mujer ideal existen, aunque conviene matizar. Llamamos «ideal» a esa pareja que mejor se adecua a nuestras características psicológicas, a nuestras expectativas y a nuestro proyecto vital. Pero no debe ser una persona demasiado idealizada, sino amada en su dimensión de ser humano y por tanto con carencias y defectos, al igual que nos pasa a nosotros.

Estas carencias deben ser conocidas y aceptadas por ambos, pues si se las rechaza se puede pretender que el otro las cubra y no muestre ninguna, tarea imposible para cualquier persona.

Entonces aparece la decepción, pues el otro cae del lugar idealizado que ocupa porque no puede responder a la demanda que se le hace.

Si somos tolerantes con nuestros fallos, no exigiremos demasiado al otro y también aceptaremos los suyos.

Idealizar demasiado a un hombre o a una mujer es un obstáculo para encontrar a esa pareja ideal con la que podríamos organizar una vida creativa y feliz.

El hombre adecuado es aquel con el que compartes la educación de los hijos y te ayuda en tu tarea como madre, sin escabullirse en su tarea paterna. Al que se le puede pedir lo que es importante para ti y que lo dé, porque no le pides lo que no puede dar. Y, por último, es aquel que te proporciona la sensación de ser escuchada, porque no tiene miedo a las dificultades que plantea la vida, sobre todo en el terreno emocional. Entonces el encuentro erótico alcanza una mayor satisfacción.

EL ENCUENTRO ERÓTICO

El encuentro erótico provoca bienestar emocional cuando hay algo más allá del encuentro de dos cuerpos. Cuando se siente que uno es alguien querido para el otro, cuando hay una aceptación de ese otro con todas sus características. Cuando no hay miedo al deseo, cuando se puede producir el abandono en los brazos del otro sin temor, sin resistencias, sin recelos.

Según el filosofo Jean Luc Marion, «Del encuentro erótico no sabemos la misma cosa pero todos sabemos algo. Frente a él nos mantenemos en una igualdad tan perfecta como la soledad».

En el encuentro erótico, lo íntimo se comparte y las fantasías inconscientes sobre qué somos para el otro y quién es él para nosotras se ponen en marcha. Cuando el amor y el sexo caminan dentro de una cierta armonía, se logra alcanzar la satisfacción. El placer sexual puede llegar a propiciar la indiscriminación subjetiva y por tanto el miedo al encuentro sexual, por lo que implicaría de pérdida de identidad. En otras ocasiones, experiencias infantiles traumáticas a las que se permanece atado imposibilitan un encuentro erótico gratificante.

Nuestra identidad está construida por identificaciones con aquellos que nos rodearon y nos amaron en la infancia. Unas relaciones familiares donde ha primado el amor favorecen que las elecciones posteriores sean más adecuadas. Cuando han estado muy presentes la rivalidad y los celos, un mayor resentimiento se mantiene hacia los padres y quedamos más ligados a ellos en una pelea que luego se traslada a la relación de pareja. A cada ausencia respondemos con una identificación y acabamos por ser la combinación de todas ellas.

Nuestro desarrollo psicosexual nos lleva a identificarnos a rasgos maternos y paternos. Cuando el sistema de identificaciones fracasa, el vacío y el miedo invaden el psiquismo en el encuentro íntimo con el otro. Se teme perder la identidad, se teme encontrarse con lo que uno rechaza.

Lo que hace felices a las parejas es el goce sexual, que se produce cuando hay un acto psíquico donde hay un encuentro de dos sujetos que se quieren unir pero se saben diferentes. El goce consiste en una unión psíquica con el otro. Es necesario que cada miembro de la pareja tenga la capacidad de abandonarse al otro, despojándose de sus defensas y sus miedos.

El orgasmo es un asunto mecánico, una descarga provocada por una excitación de los órganos sexuales. No hay necesidad de un compañero para conseguirlo. Para sentirse feliz en el encuentro erótico hace falta que se produzca una combinación de deseos donde las dos subjetividades se pongan en juego, sin miedos o temores a la intimidad emocional.

Conviene abandonar una posición fálica o dominante. De otro modo, la mujer estará a la defensiva y el hombre tendrá que estar demostrando que da la talla.

La madurez erótica nos permite no ver a la pareja como aquel que tiene que saciarnos totalmente. Esto es una pretensión excesiva.

El psicoanalista Jean-Claude Giabiciani afirma que no hay nada más indomable que el deseo y el placer y agrega: «En el amor el cuerpo está poseído, el espíritu habitado y el corazón sumergido».

Paula: en brazos del amado

Paula esperaba a su marido, que venía de viaje. Mientras tanto dio en la televisión con un programa que hablaba de sexualidad. Le parecía que siempre hablaban de lo mismo y que decían verdaderas majaderías sobre el tema.

¿En serio pensaban que una buena relación sexual se conseguía con un manual de instrucciones sobre dónde y cómo tocar a la pareja?

Para ella, el encuentro erótico consistía en una unión psíquica, emocional y de relación, donde la comunicación con el otro era siempre primordial, eso era lo que le hacía feliz. Ahora no temía abandonarse en los brazos de su amante y sentía que él hacía lo mismo. Paula pensaba que ahora podía amarse lo suficiente como para no pedir demasiado al otro, pero sobre todo tampoco tenía miedo a dejarse llevar por él. Antes, sin embargo, nunca le fue posible gozar con el sexo. Con su primer marido, a pesar de ser muy abundante en cantidad, los encuentros sexuales no eran demasiado gratificantes para ella. No podía entregarse, sentía que él la colonizaba, como si ella solo le sirviera para reafirmar su virilidad, más que para compartir lo que ambos se proporcionaban. Él siempre intentaba dominar la situación. Con su actual pareja, Paula no teme al dominio porque no lo hay, él no necesita demostrar nada, no se tiene que convencer de su potencia sexual. Como ella, se deja llevar y se abandona a un encuentro en el que no hay ni miedo ni rechazo.

El padre de Paula era un hombre violento y ella siempre asoció la relación sexual con un encuentro muy agresivo. Cuando Paula se divorció de su primer marido, comprendió hasta qué punto las fantasías infantiles sobre el encuentro sexual de sus padres habían influido en su primer matrimonio. Ahora había llegado a amarse lo suficiente como para desear compartir su intimidad.

Los frecuentísimos encuentros sexuales que Paula tenía con su primer marido, que parecía un atleta sexual, eran una pantalla para tapar la inseguridad de él y la frigidez de ella. Identificada con su madre y sintiendo un gran rechazo por su padre, no era capaz de ocupar un lugar distinto al de su progenitora. Ella intentaba convencerse a sí misma de que sí, porque confundía la cantidad con la calidad. En una psicoterapia pudo construir una identidad donde las identificaciones cambiaron y pudo organizar una nueva forma de vivir la feminidad.

Ya no tenía miedo de desear y amar, no temía el encuentro con su pareja. Había encontrado a la pareja adecuada, algo importante para conseguir el bienestar emocional, al igual que saber rodearnos de aquellos con los que podemos realizar intercambios gratificantes. Necesitamos a los otros para enriquecer nuestras vidas.

¿HASTA DÓNDE NECESITAMOS A LOS DEMÁS?

¿Podemos ser felices sin los demás? ¿Podemos sentir la vida sin amor? ¿Hasta dónde necesitamos a los otros?

Los seres humanos estamos atravesados por unos deseos que nos anteceden y que tienen que ver con nuestros progenitores. Completamente dependientes de sus cuidados y de su amor, no sobreviviríamos si no hubiéramos sido acogidos en el principio de nuestra vida por alguien que se ocupó de nosotros y nos quiso lo suficiente para ayudarnos a conquistar una identidad.

Se necesita un niño para poder sentirse madre o padre; se necesita al otro para sentirse reconfortado en la identidad sexual; se necesita un amigo para sentirnos útiles y acompañados en la vida; se necesita el reconocimiento a nuestro trabajo para sentirnos profesionales de lo que hacemos. Cuanto más se diversifican las diferentes facetas de nuestro «yo», más reconocimiento se precisa, pero mejor nos encontramos también, pues si falla una relación o una actividad, tendremos otros afectos u otras actividades en los que apoyarnos. A esta búsqueda de uno mismo en la mirada del otro, y en el espejo que nos proporciona, le sigue una etapa fundamental, que consiste en reconocer también nuestras carencias.

Sartre decía que para conseguir una verdad cualquiera, «que me pertenezca», es necesario «mi paso» por el otro. Pero, ¿por qué en ocasiones nos cansan los otros?

Los seres humanos son como los erizos, que se acercan cuando tienen frío y se echan hacia atrás cuando sienten daño. Este movimiento de acordeón se acentúa en la actualidad, como si nos hubiéramos vuelto incapaces de encontrar la distancia adecuada con el otro.

El temor a la dependencia del otro se debe a que no sabemos tejer la distancia adecuada con él. Los hilos de una madeja invisible que nos mantienen unidos se rompen si están demasiado tirantes. Pero si están demasiado juntos, se enredan y producen una sobredosis emocional. Cuando la proximidad con el otro se vive como asfixiante, aparece el miedo a la intimidad y conflictos en la relación con los otros.

Amar es beneficiarse de un intercambio de afectos que siempre genera una deuda. Si reconocemos que el otro nos quiere, ¿cómo le devolvemos lo que nos da? Cuando queremos a alguien, aparecen preguntas como: ¿cuánto me va a costar esta relación? ¿A qué me compromete tener un hijo? ¿Lo voy a tener que pagar con mi persona?

Sara: de niña a mujer

Tales son algunos de los pensamientos que Sara se hace ahora que Adrián, su novio desde hace cinco años, le ha planteado claramente que adónde va su relación. No son ya tan jóvenes y quieren formar una familia y vivir juntos. Sara tiene treinta y cuatro años y Adrián, treinta y siete.

Desde que se conocen viven cada uno en su apartamento, aunque muchos días, sobre todo los fines de semana y las vacaciones, viven juntos. Sara tiene miedo a un compromiso íntimo con Adrián porque no sabe cómo hacer para organizar una familia distinta de la que tuvo. El planteamiento de su pareja la ha puesto muy nerviosa, pues ella no quería pensárselo ahora, sino dejarlo para más adelante. En la psicoterapia a la que asistía, y a la que había acudido por sus dificultades para mantener una relación con un chico más allá de uno o dos meses, se dio cuenta de que su temor a los chicos provenía de una relación con su madre que aún le pesaba demasiado. Curiosamente, repetía con su novio la situación infantil que había vivido con sus padres. Estos se habían separado cuando ella era muy pequeña, por lo que ella pasaba los días de diario con su madre (que ahora vive sola) y los fines de semana y vacaciones con su padre, al que tenía un gran apego. Con su padre se sentía más protegida y menos confundida, pues su madre era una mujer con serias dificultades para llevar adelante su papel materno, algo que, lejos de fomentar la autonomía de Sara, había provocado más dependencia de ella. Esto se traducía en una ambivalencia que no podía resolver. Temía que la convivencia con Adrián se le hiciera agobiante y mantenía con él la distancia que le permitía la posibilidad de vivir un amor que deseaba y que ella asociaba más a los fines de semana. Cuando pudo elaborar la dependencia hacia su madre y encontrar la distancia adecuada con Adrián, se fueron a vivir juntos.

La media distancia

Es la distancia adecuada con el otro lo que a veces no sabemos encontrar, quizá porque también es lo más difícil. El encuentro nos asusta porque tememos perder una parte de nosotros mismos ¿Cómo vivir entonces el amor sin correr el riesgo de la alienación? ¿Dónde acaba el darse uno mismo? ¿Cuál es el límite? Quizá aquel que nos permite un equilibrio justo entre lo que damos y lo que recibimos, lo que equivale a cumplir nuestros deseos, aceptando la responsabilidad que tenemos hacia los otros y hacia nosotros mismos.

La relación con los otros nos aporta un espejo, una prueba y una salida.

Un espejo porque buscamos en la mirada del otro un reflejo en el que observarnos y que nos proporcione datos acerca de cómo nos ven. Nos encontramos a nosotros mismos en esa mirada. Este proceso nos da seguridad y resulta gratificante. En la medida en que ese reflejo coincide con la imagen que nos gustaría tener, más disfrutamos en el encuentro con el otro.

Una prueba que señala hasta qué punto nos conocemos y toleramos nuestras dificultades. Cuando nos comparamos con el otro, ya sea una pareja, un amigo, una madre, un hijo, etc., nos descubrimos vulnerables, limitados, impacientes. La compañía que el otro nos proporciona hace añicos la obsesión narcisista de no tener debilidades.

Una salida porque el otro pone final a ese cierre egocéntrico según el cual todo empieza y acaba en nosotros. El encuentro amoroso con el otro desordena (en el mejor de los sentidos) y abre dependencias, pero también emancipa del cierre que se produce cuando todo queda en uno mismo.

Ahora bien, los otros también nos restarían sentir una autonomía total y el miedo al abandono.

Una autonomía total porque pertenecer a una comunidad amorosa (pareja, familia, amigos...) es aceptar la renuncia a una parte de nuestra independencia. ¿Para qué querríamos la independencia si nos quedamos solos? ¿Acaso podemos vivir sin relaciones afectivas?

El miedo al abandono, pues solos no nos exponemos ni a la pérdida ni al abandono de un ser querido. Parecería que estar solo nos permite una suerte de seguridad, ya que no nos exponemos al abandono, pero es una falsa propuesta porque no ganamos lo que nos proporcionan. Necesitamos a los demás para no enfermar. Esto nos conduce a la siguiente pregunta.

¿Es posible vivir sin amor?

Los seres humanos venimos al mundo marcados por el deseo de alguien que nos quiso lo suficiente para cuidarnos y alimentarnos. ¿Quiénes seríamos si no podemos ocupar un lugar en el corazón y el deseo de otro? ¿Quién no se ha preguntado qué quiere de los otros? Si no hubiéramos sido amados, no hubiéramos sobrevivido.

Rene Spitz, psiquiatra y psicoanalista especialista en niños, investigó las causas de que algunos niños que habían ingresado en un orfanato hubieran sobrevivido, mientras otros habían muerto después de lo que él diagnosticó como «marasmo», situación en la que los niños se negaban a comer y lloraban hasta que morían. Descubrió que los niños que habían sobrevivido fueron aquellos que tuvieron la fortuna de que alguna cuidadora organizara un enlace afectivo con ellos. Algunos tuvieron la suerte de encontrar un adulto de referencia que se interesaba por lo que les ocurría, y este interés les salvó la vida.

Todos hemos sido amados, al menos en la medida suficiente para que quisiéramos seguir viviendo. No se puede vivir sin amor, porque no se puede vivir sin los otros, nuestros semejantes. Otra cuestión es que nos hayan amado bien, es decir, teniendo en cuenta nuestras necesidades y respetando nuestra forma de ser, sin haber sido rechazados por nuestro sexo o por no acomodarnos a lo que esperaban de nosotros. Si ha ocurrido algo de esto y no hemos podido elaborarlo psicológicamente de la forma adecuada, podemos pasarnos la vida sufriendo por ello e intentando remediarlo de alguna forma.

Una manera sintomática de reparar las carencias afectivas consiste en quedarse enganchado a personas que no nos saben querer. Repetimos así una historia infantil con la fantasía de que en esta ocasión podrá salir bien y seremos compensados.

Cecilia: ser querida sin ser utilizada

Cecilia reconocía que casi todo lo que hacía iba dirigido a que la quisieran. Pero ahora, después de un tratamiento psicoterapéutico en el que había aprendido a ser fuerte y a querer a esa niña desamparada que tenía en su interior, había decidido que solo estaría con gente que la quisiera bien. Cecilia confundía ser querida con ser utilizada. Trabajaba en una distribuidora cinematográfica, y siempre se iba la última, le tocaba hacer más horas que las demás y nunca le agradecían su esfuerzo. Solía tener mala suerte con las compañeras de trabajo y las amigas porque siempre se aprovechaban un poco de ella.

Las dificultades que tuvo para criar a su hijo, donde también se encontró sola y sin ayuda de su pareja, la condujeron al tratamiento y allí descubrió que su necesidad de ser querida la llevaba a reproducir una situación infantil de la que conscientemente siempre quiso huir y en la que inconscientemente estaba atrapada. Era la mayor de cinco hermanos, y su madre, que tenía muy poca capacidad materna, la colocó demasiado pronto en un lugar que no le correspondía. Tenía que cuidar a sus hermanos y ejercer de hermana-madre cuando ella no estuviera. Cecilia cumplió bien su papel, pensando que era la única forma de ser querida por su madre. Sin embargo, en alguna medida se había sentido rechazada como niña. Ahora, en su trabajo, permitía que la utilizaran de nuevo, lo que era una forma de encubrir sus miedos. Si no era querida, al menos era necesitada.

Cuando reconoció que su madre había tenido dificultades para quererla y dejó de tener miedo a ser rechazada, pudo comenzar a quererse y a frenar abusos. También perdonó a su madre y rescató aquello que sí le pudo dar. Resolvió, en fin, la ambivalencia que tenía con ella. Una de las desventuras del amor es que con frecuencia conlleva cierta hostilidad que conviene reconocer. Incluso cuando amamos a nuestros padres, ¿nunca les reprochamos nada? Reflexionar sobre ello dejará más libre al amor de esa pesada carga.

A amar se aprende porque alguien nos enseña. En primer lugar nuestra madre, de la que en principio no estamos diferenciados y de la que dependemos tanto que solemos echarnos la culpa de sus incapacidades. De esta forma, salvamos su imagen y sostenemos en nuestra fantasía que no era ella, sino nosotras quienes no merecíamos ser queridas. Después, el padre, los hermanos, los amigos, la pareja... Hay varias formas de amar, lo que nos sirve para alimentarnos de unas cuando fallan otras.

Aprendemos a amar dentro de la familia y repetimos ese modo de vínculo con las relaciones que vendrán después. Si tenemos dificultades en este terreno, podemos hacer un acto de amor hacia nosotros mismos y elaborar psicológicamente los conflictos para cambiar nuestro modo de amar y ser amados.

El amor nos hace más inteligentes

El amor es uno de los motores principales del mundo. Sobre él se establecen gran parte de las relaciones interpersonales y de los afectos familiares. Tiene también una gran importancia en la relación con uno mismo, pues convierte la vida en una fuente de placer. Quizá por eso filósofos y pensadores le han dedicado tanto espacio a lo largo de los siglos. Así, Soeren Kierkegaard decía sobre el amor que era una oportunidad inesperada para escaparse de la mediocridad. El psicólogo italiano Francesco Alberoni lo comparaba con un movimiento revolucionario. Freud, por su parte, aseguraba que las grandes pulsiones que dirigen nuestra vida son Eros (el amor) y Tánatos (la muerte) y que nuestra salud psicológica dependía del amor que sintiéramos hacia los otros y hacia lo que hacíamos en la vida.

Sin embargo, no es raro que se hable del amor en tono de menosprecio, como cuando se dice, por ejemplo, que nos vuelve estúpidos. Este tipo de afirmaciones se debe a la confusión entre el enamoramiento (un estado de ensimismamiento en el que se reviste al otro de las cualidades que requieren nuestros deseos inconscientes) con el amor.

Al amor solo se llega después de un desarrollo personal que ha permitido organizar una subjetividad firme, que reconoce al otro como diferente. No todo el mundo puede amar. Quien lo hace se ha atrevido a vivir un grado de libertad personal que no le asusta. Reconoce que el otro le puede dar lo que él no tiene y lo hace porque antes ha podido aceptar sus deseos, pero, sobre todo, sus carencias. El que ama puede recibir porque sabe lo que no tiene y lo que desea del otro, y también puede dar porque reconoce lo que el otro le pide y él tiene la oportunidad de ofrecerle. El amor es siempre generoso con el otro. No le pide lo que el otro no puede dar, pero sí lo que desea y sabe que es posible que el otro le aporte.

Solo si hemos alcanzado un grado estimable de inteligencia emocional, así como un conocimiento elevado de nuestros deseos, y nos hemos atrevido a bucear en nuestro mundo interno, asumiendo nuestras posibilidades (y nuestras carencias) seremos capaces de amar. ¿Hay algo más inteligente que querernos como somos y no atacarnos allí donde más débiles nos sentimos?

El amor muestra que somos inteligentes allí donde es más difícil serlo: en el terreno emocional.

La inteligencia tiene que ver con la razón y con el intento de dominar los afectos que vienen de nuestro inconsciente. Pone palabras a los sentimientos y nos ayuda a entender quiénes somos, qué sentimos, a quién queremos. Pero si nuestro mundo emocional arrastra una historia de conflictos que no han sido elaborados, la inteligencia se puede usar para negar lo que se siente, para reprimirlo, para adormecer afectos que no queremos reconocer. Se utiliza entonces como un muro de contención contra lo que se siente, lo que a su vez provoca un alejamiento del otro, con el que se evitará un contacto íntimo por miedo a que la intimidad que se produce en el encuentro amoroso destape su mundo emocional y aparezca lo que se vive como incontrolable.

Cuando amamos, nos sentimos vivos. El amado nos provoca esa sensación, pero solo si hemos sido capaces de dejar de tener miedo a nuestro interior.

Carolina: historia de una ambivalencia

Después de una psicoterapia, Carolina había comprendido que la ambivalencia que de niña sentía hacia su madre guardaba relación con las dificultades que ahora tenía con su pareja. Estaba a punto de separarse cuando acudió a tratamiento y allí descubrió que había elegido a su novio porque era muy protector. Aunque esto era lo que siempre había querido, ahora le agobiaba mucho esa característica. Con su madre se había sentido muy desamparada y su padre había sido incapaz de apoyarla. Cuando Carolina resolvió la rabia que tenía hacia sus padres por la falta de apoyo que había sentido y pudo perdonarles al comprender sus dificultades psicológicas, dejó de desplazar esa rabia hacia su marido y pudo comenzar a recibir lo que él le daba, que era, por otra parte, la protección que ella siempre había deseado. Cuando su inteligencia emocional le hizo comprender que su deseo de ser cuidada era lo que más buscaba en su pareja, todo empezó a ordenarse.

Carolina comenzó a disfrutar de los rasgos protectores de su marido cuando reconoció que cubría sus deseos, deseos que antes negaba porque le hacían parecerse a su madre en aquello que no quería. Se sentía tan débil como su madre y ella no quería aceptar sus debilidades. Pensaba que la incapacidad de su madre para cuidarla se debía a que era muy infantil porque necesitaba el apoyo de los otros. Carolina se equivocaba. La madurez y la inteligencia emocional no equivalen a no depender afectivamente de los otros, sino a reconocer nuestros deseos, pues ello implica que obtendremos placer al realizarlos.

El marido de Carolina cubría lo que su madre no había podido darle y por ello había buscado un hombre fuerte y con éxito.

La inteligencia verdadera es aquella que podemos utilizar para no asustarnos de nuestro mundo emocional y, de esta forma, sacar más partido a lo que la vida nos ofrece.

Del amor se derivan la capacidad de sentir agradecimiento y amistad.

El agradecimiento

¿Podemos amar sin haber aprendido a agradecer lo que la persona querida nos da? ¿Se puede agradecer a otro lo que ha hecho por nosotros sin quererle? ¿Qué diferencia hay entre amor y agradecimiento?

El agradecimiento necesita como el amor una maduración psicológica que nos haya conducido a conocernos bien. Reconocer qué es lo que necesitamos de los otros y qué es lo que ellos nos pueden dar. Ahora bien, pedir y aceptar lo que el otro tiene para darnos es también reconocer lo que nos falta. La capacidad de amar y de sentir gratitud se gesta en los primeros años de nuestra vida.

Toda persona feliz tiene una deuda de gratitud con su madre, dice Donald Winicott, y la tiene porque esa madre ha hecho una labor tan importante como generosa para su salud mental, le ha enseñado a estimarse y a afirmarse en su identidad permitiéndole separarse de ella y aprendiendo a intercambiar con los otros experiencias que le sirvan para entender su mundo. Según Melanie Klein, el sentimiento de gratitud es uno de los más importantes derivados de la capacidad de amar, es esencial en la estructuración de la relación con el otro y se produce cuando se puede apreciar la bondad. Su raíz se encuentra en las emociones y actitudes que se producen en las épocas más tempranas de la infancia, cuando la madre es el solo y único objeto que existe; este vínculo es la base para todas las relaciones posteriores con la persona amada. La gratitud siempre tiene que ver con el reconocimiento de una deuda hacia otro, otro que se esforzó en darnos aquello que nos hizo bien y que no se puede pagar con algo material, solo se paga con afecto.

Uno ama porque está descontento consigo mismo y quiere completarse rodeándose con lo que su amado puede ofrecerle, pero ello nunca puede suceder, el amor tiende a poseer al otro y por ello es a veces ambivalente. En la gratitud no existe la tensión que se da en el amor porque siempre se reconoce lo que el otro te ha dado, se reconoce la deuda que se tiene con él, una deuda que no se puede pagar con nada material, sino con agradecimiento, un sentimiento que enriquece tanto a quien lo siente como a quien lo recibe. Quien no ha sentido agradecimiento es difícil que pueda amar.

Elsa: «De bien nacido es ser agradecido»

Elsa recordaba una frase que su abuelo le decía con frecuencia, «De bien nacido es ser agradecido», y en estos momentos tenía una especial significación para ella. Ahora que se sentía bien consigo misma podía agradecer lo que algunas personas habían hecho por ella. Elsa recordaba esa frase porque en realidad sentía que había vuelto a nacer después de un psicoanálisis al que había acudido para salir de una depresión que estaba hundiendo su vida. Había llegado al tratamiento rota, como si su interior estuviera compuesto por las piezas revueltas de un puzzle, y había conseguido construirlo, unir ideas y sentimientos, hacer una imagen coherente de sí misma. Allí aprendió a no sentirse culpable por perseguir lo que deseaba, a dejar de querer a quien le hacía daño y estimar a quien le hacía bien, a hacer intercambios con los otros, creativos y no destructivos. Aprendió a luchar y a aceptar sus debilidades. A no pedir más de lo que le podían dar y a aceptar las debilidades propias y las ajenas. Rompió con fantasías y mitos familiares que la habían colocado en un lugar exigente e incómodo. Entendió su infancia y cómo había estado siempre procurando hacer méritos para ser aceptada; ahora no tenía necesidad de gustar a nadie, ahora era fiel a sí misma. Se alejó para siempre de algunos miembros de su familia y se acercó a otros, pues se reconcilió con sus padres. Había contado su historia y había descubierto que en lo que decía tenía otra vida que le era tan propia como desconocida. Su psicoanalista le ofreció las palabras para comprender los oscuros complejos que la dominaban; ese conocimiento le había hecho más fuerte y también más libre. Cuando comenzó a agradecerle lo que había hecho por ella, su tratamiento estaba terminando; había aprendido el poder curativo de la verdad y ahora sabía que lo que antes creía era una verdad estaba compuesta por mentiras, que respondía más a deseos ajenos que a los propios. En alguna medida había vuelto a nacer, y esta vez, como decía su abuelo, lo había hecho bien, pues tenía la capacidad de agradecer lo que había recibido en el tratamiento.

Afectos relacionados

Se puede estar agradecido a alguien y no quererle; sin embargo, es conveniente estar agradecido a quien amamos, a pesar de que, en ocasiones, nos cuesta estar agradecidos a las personas más cercanas.

—Padres. Cuando conseguimos agradecer a nuestros padres el regalo de la vida que nos dieron, podemos quererles tal como son porque es probable que hayamos dejado de esperar que sean como nos gustaría. Además ese agradecimiento consolida lo que hacemos con nuestra vida.

—Pareja. Si pudiéramos agradecer a nuestra pareja aquello en lo que puede ayudarnos y no pedirle aquello que no puede darnos, es probable que el amor durara mucho más. Aunque en la pareja esto se complica especialmente, el amado es a la vez el que nos completa y el que nos limita; solo si aceptamos nuestras limitaciones aceptaremos lo que nuestra pareja nos da en la medida de sus posibilidades.

—Hijos. Con ellos reeditamos parte de nuestra historia afectiva, y es casi inevitable que a lo largo del proceso educativo aparezcan conflictos. Nuestros hijos nos convierten en padres y nos enfrentarán a problemas, pero nos enriquecen la vida. El amor nos puede conducir a reparar con ellos algunas lagunas de nuestra infancia. Si pudiéramos agradecerles lo que nos aportan, nos sentiríamos más a gusto con ellos.

—Amigos. Las relaciones amistosas son tan delicadas como profundas. El buen amigo es aquel que te acompaña, que te afirma en tu identidad y te hace sentir bien y que te respeta; a los amigos, además de quererles, se les agradece el hecho de que existan.

LA AMISTAD

La amistad, como el amor, nace de misteriosas afinidades inconscientes que surgen entre dos o más personas. Nuestro «yo» busca a otro para compartir intereses y frustraciones, secretos y deseos. Lo busca para escuchar y para escucharse. Como toda realidad afectiva, la amistad tiene un lado oscuro que escapa a la razón y se adentra en el turbulento e incontrolable mundo de los sentimientos.

Su origen se encuentra en la confluencia de varios deseos. Uno de ellos es el de abrirse al mundo. Por eso el niño, desde muy pequeño, busca compañeros con los que compartir sus juegos e ir así dominando el entorno. En la adolescencia las amistades son fundamentales al convertirse en el puente que conduce de la familia a la realidad exterior. Otro deseo que nos impulsa hacia la amistad es aquel que se establece cuando queremos ser como el otro, pues el amigo es el reflejo de uno o de varios rasgos de nuestra personalidad. De ahí que muchas amistades se rompan porque al producirse cambios esenciales en una de las partes fracasa la identificación y ya no hay puntos de encuentro.

La educación sentimental que hayamos recibido en los primeros años marcará las relaciones afectivas posteriores. Así, cuando en los modelos aprendidos existió un grado de rivalidad alta, ese vínculo tenderá a reproducirse en las relaciones amistosas con la intención inconsciente de resolver el antiguo conflicto.

Las relaciones de amistad saludables deben edificarse sobre un alto grado de libertad de los participantes, que deberían evitar asimismo el establecimiento de unas relaciones de poder o de sometimiento nocivas para ambas partes. No ignoramos que, cuando se tiene una amiga, funciona una cierta influencia entre las dos, pero aprovecharse de esta influencia para fines personales o para sentirse más fuerte es un gesto de vanidad delator de antiguos conflictos no resueltos: nos estamos refiriendo a la rivalidad, por ejemplo, la que la niña experimenta a veces hacia su madre por sentirla más fuerte y a la que en sus fantasías le gusta dominar.

Entre mujeres

Una verdadera amiga constituye una fuente de bienestar. Su existencia colma esa zona de la realidad psíquica que nos empuja a relacionarnos con los demás, a pertenecer a un grupo. Las mujeres necesitamos interlocutoras que nos acompañen en la tarea inagotable de construir nuestra feminidad. La psicoanalista francesa Françoise Dolto asegura que es preciso que las mujeres se ayuden mutuamente para superar las pruebas por las que se atraviesa en la construcción de la identidad femenina. La primera con la que instauramos el vínculo afectivo es la madre y después vendrán todas las figuras que se relacionarán con ella, las hermanas, si las hay, y finalmente las amigas, con las que podemos repetir o reparar los conflictos que tuvimos con la primera. Es muy probable que tener buenas amigas sea un síntoma de nuestra capacidad para haber llegado a construir una identidad que nos complace y nos gratifica.

Las amigas nos hacen sentirnos acompañadas, aunque no se encuentren cerca, porque sabemos que «están ahí», como presencias invisibles. Las puedes llamar en cualquier momento, en cualquier situación y siempre responderán a esa llamada. Sin embargo, en ocasiones, algunas amistades se deterioran; ¿por qué?

Milagros y Clara: una rivalidad latente

Aunque le dolía, Milagros había llegado a la conclusión de que algunos actos de su amiga eran claramente agresiones contra ella, si bien Clara se negaba a aceptarlos como tales, o a reflexionar sobre el asunto. A Clara siempre le gustaba ir de buena, lo que le impedía reconocer su rivalidad con Milagros. En sus últimas reuniones, cuando Milagros intentaba hablar sobre la situación, Clara se callaba o negaba, pero no daba ningún argumento, no quería explicar nada. Para Milagros, que siempre había tenido muy buenas amigas, esta actitud de Clara fue definitiva para decidir que no quería como amiga a alguien que la hacía sentirse mal y que, lejos que poner palabras a los conflictos, se negaba a hablar. Si no hay intercambio de palabras que nombren cómo nos sentimos y lo que nos ocurre, tampoco hay amistad. Si no se reconocen los actos que pueden perjudicar a una amiga, solo queda rivalidad.

Por supuesto, la forma de relación que tanto Clara como Milagros habían organizado tenía que ver con la historia afectiva de cada una. Pero mientras Milagros había podido elaborar la rivalidad con las mujeres de su familia (su madre y su hermana), Clara, que era la única chica entre varios hermanos, no había sido capaz de elaborar una feminidad que la hiciera sentirse bien consigo misma. Siempre quería arrebatarle algo a la otra.

Es conveniente conservar y cuidar las amistades, desde luego, pero solo aquellas en las que se establezca un intercambio de afectos y experiencias que enriquezca a ambas partes por igual.

Cuanto más conozcamos nuestros sentimientos y mejor elaboradas estén nuestras rivalidades fraternas, mejores amistades nos acompañarán luego a lo largo de la vida.

3
El Trabajo

El valor del trabajo para la mujer

El trabajo fuera del hogar ha sido en el último siglo la gran conquista de la mujer. En apenas dos generaciones ha cambiado, tras muchos siglos de historia, el mapa vital que tenían nuestras abuelas.

Las mujeres siempre han trabajado, ya sea educando a sus hijos, cuidando de su familia u organizando el hogar. Desde hace tiempo, han salido también de casa, han ganado en independencia y libertad y reparten sus energías, que durante mucho tiempo estuvieron concentradas en la familia, en trabajos remunerados fuera del ámbito doméstico.

El trabajo es saludable para la mujer en la misma medida en que lo es para el hombre y representa la conquista de esa autonomía personal, que, entre otras cosas, otorga la independencia económica. Favorece la salud mental porque canaliza las energías vitales hacia una labor social. Nuestro «yo» se pone en contacto con la realidad y contribuye a mejorarla. La mujer afirma su identidad femenina cuando trabaja. Su subjetividad queda fortalecida. El trabajo cura de algunos sinsabores de la vida y en muchas ocasiones sirve para que la vida familiar también discurra mejor. Si la mujer se siente más firme en su identidad, se encontrará mejor consigo misma y transmitirá este bienestar a su familia.

El trabajo, sin embargo, puede convertirse a veces en una fuente de malestar. Sucede, entre otras ocasiones, cuando a la mujer se le hace difícil compatibilizar la vida familiar y laboral, problema que viene provocado por presiones externas (que se derivan del contexto cultural y social en que vivimos) y otras internas y psicológicas, que guardan relación con la historia emocional de cada mujer y pueden llevarla a sentirse desvalorizada o a no conseguir nunca el trabajo que quiere.

Las primeras presiones se producen porque, si bien la mujer se ha adaptado a la organización del trabajo, esta no se ha adaptado a sus características. Las jornadas son con frecuencia maratonianas, obligando a la mujer a llegar a casa demasiado tarde. La lógica del trabajo no coincide con la lógica femenina. Por lo tanto, por ahora, no nos queda más remedio, en ocasiones, que adaptarnos a una lógica masculina que en ocasiones daña la nuestra, por lo que podemos llegar a sentirnos incómodas.

Las razones internas son menos evidentes, más sutiles, pero tan poderosas como las anteriores. La mezcla de ambas actúa a veces de tal modo que trabajar resulta conflictivo.

Según Janine Chasseguet-Smiergel, los factores socioculturales desempeñan un papel en las dificultades para que la mujer pueda realizar el trabajo que quiere, pero hay que tener en cuenta la culpabilidad inconsciente de la mujer, reavivada constantemente por los elementos de la realidad.

La culpabilidad se produce porque la mujer siente que se sale de lo que la sociedad le tiene pautado para sentirse bien con su feminidad. Cuando realiza trabajos de mucha responsabilidad, renuncia a hacerse cargo de las tareas que tradicionalmente se han adjudicado a su sexo.

Maternidad y trabajo

Combinar maternidad y trabajo es la tarea más difícil a la que se enfrenta la mujer. No hay vuelta atrás. El sexo femenino no va a renunciar a lo que ha conseguido, la mujer ha colaborado al desarrollo social con su esfuerzo y su trabajo, con su cuerpo y con su mente. Pero muchas veces, en lugar de sentirse orgullosa de su hacer, se siente culpable. En vez de sentirse tranquila, se siente agobiada, y muchas veces se pregunta: «¿Pero merece la pena tanto esfuerzo?». «¿Cómo influirá mi trabajo en el desarrollo de mis hijos?». El esfuerzo siempre merece la pena si se está satisfecha como persona, lo que influye en los hijos para bien.

Adela: un hijo con fiebre

Cuando Adela salió de su casa para ir al trabajo, tenía un nudo en el estómago. Su hijo, de cinco años, estaba un poco griposo, el termómetro marcaba unas décimas. No era importante, pero ella se iba muy incómoda al trabajo. «¿Merece la pena lo que consigo con mi trabajo si tengo que alejarme de mi hijo cuando me necesita?», se preguntaba. La noche anterior había discutido con su marido: estaba irritada con él porque, cuando llegó a casa, no había hecho nada de lo que habitualmente hacía. Él acabó diciendo que desde que había vuelto al trabajo estaba continuamente irritada. Era verdad, pero su irritación provenía de que se sentía muy sobrecargada de tareas. Para colmo, esta mañana su hijo se levanta con fiebre.

Cuando llega a la oficina, se encuentra con Marta, que tiene dos niñas pequeñas, y sin embargo, por más ocupada que esté, nunca se siente como ella de acelerada. Marta la tranquiliza y le dice que su hijo la echará de menos, pero que eso no está nada mal, y que cuando llegue a casa ya tendrá tiempo para mimarle, que lo importante es que confíe en la persona que lo cuida. Adela le agradece a Marta sus consejos porque la relajan y casi siempre tiene razón. ¿Por qué estas dos mujeres combinan la maternidad con su trabajo de forma tan distinta? Una de las razones es que el apoyo que tienen por parte de sus respectivas parejas es bien diferente. La pareja de Marta colabora con ella en el cuidado de las niñas y se reparten las tareas domésticas. Tal actitud la hace sentirse segura en su decisión de trabajar, sin culpas ni tensiones, pues no entra en competencia con el cuidado de sus hijas. Por el contrario, el marido de Adela solo apoyó verbalmente su decisión porque económicamente les venía bien, pero en realidad le miente: sus palabras no concuerdan con sus actos y desde que Adela comenzó a trabajar colabora menos en casa que antes, porque le molesta la nueva situación.

La familia: un proyecto, un equipo

La sensación de tranquilidad que tiene una mujer cuando el marido la apoya activamente en las tareas domésticas se transfiere directamente a las funciones maternales. Cuanto más apoya el marido, más sensible es la madre a las necesidades del hijo, asegura el psicólogo infantil Sirgay Sanger en su libro *La madre que trabaja.*

Para asegurarse una forma placentera de vivir la experiencia de la maternidad, este psicólogo califica como fundamentales los siguientes aspectos:

—Un sistema de apoyo firme. El principal es la pareja, pero también hay que buscar personas en las que se pueda confiar para dejar nuestros hijos a su cuidado. La niñera es importante y hay que escogerla haciendo previamente una entrevista para valorar si tiene sintonía con los niños.

—Aprender a estructurar el tiempo con eficacia. Son miles las actividades que una madre trabajadora con niños pequeños ha de realizar al día. Una incómoda sensación de estar acelerada aparece cuando hay que responder a tantas demandas. Conviene tener en cuenta que la energía no hay que malgastarla, sino colocarla en las cosas verdaderamente importantes. Ayuda mucho introducir pequeños tiempos de descanso durante el día, ya que el cansancio magnifica los problemas.

—Reconsiderar los objetivos. No existe dificultad alguna entre ser una buena madre y que a nuestro hijo le cuide otra persona, pero sí la hay si el niño no ve a su madre durante todo el día. Si los objetivos respecto a su trabajo son poco realistas, vivirá una fuerte tensión y no podrá disfrutar del crecimiento de su hijo.

Cuando la mujer se cuida también favorece a su hijo y alimenta la relación con él. Los bebés son especialmente sensibles al estado anímico de la madre. Si esta lleva sobre sus espaldas una carga excesiva, será muy difícil que se encuentre en condiciones para leer las necesidades del pequeño; la presencia materna es importante los primeros meses de vida del bebé.

La presencia materna

Maternar a un hijo lleva tiempo. Se trata de un proceso complejo y creativo, pero no exento de conflictos.

Nuestros hijos nos hacen madres. Tenemos que estar con ellos para hablarles, para traducir a palabras sus sensaciones, para permitirles que se separen de nosotras y se hagan independientes. Para que se puedan separar de nosotras, primero tienen que haber estado cerca. Aprender a ser madre consiste en gran medida en aprender a separarse de los hijos, lo que requiere aceptar sin miedo la intimidad y la dependencia que en un principio tienen de nosotras. La complejidad de la tarea de ser madre radica en que el niño pide amor y el amor necesita tiempo. Las madres actuales, sobrecargadas de trabajo, sufren la angustia y la culpa de no estar bastante tiempo con sus hijos. Muchas veces se les hace necesario buscar a una cuidadora: conviene hacerlo con todas las garantías. Cualquiera no puede cuidar a un bebé.

No siempre las mujeres saben que el primer año de vida es la base sobre la que su hijo levanta el edificio de su identidad. Durante los tres o cuatro primeros años, las separaciones prolongadas de la madre crean en el niño conflictos en sus relaciones afectivas futuras. La cercanía durante los primeros años favorece la independencia más adelante. Es difícil que una cuidadora pueda alcanzar el grado de intimidad afectiva que una madre tiene con su hijo. Un bebé necesita las caricias, las palabras, la voz de la madre cerca de él. La cuidadora está allí para ayudar a la madre, no para reemplazarla. En los primeros años de vida las madres deberían proteger su espacio materno y no delegar en otras su función durante demasiadas horas. La vida es larga, pero la infancia de los hijos es corta. No es incompatible ser madre y trabajar fuera de casa, pero con una jornada razonable. En ocasiones, tras los argumentos económicos o la excusa de las responsabilidades laborales, se esconden dificultades para llevar a cabo el papel de madre. Incluso se puede llegar a pensar que el niño está mejor con la cuidadora, que otra lo puede hacer mejor. En estos casos es posible que la madre reviva conflictos inconscientes con su propia madre y se retire de su bebé por miedo a dañarlo. ¿Qué pierde una madre que no puede cuidar a su hijo durante los primeros años de su vida? ¿Qué podría ganar si lo hace?

Las mejores madres son imperfectas

Las dudas de muchas madres acerca de si son o no buenas para sus hijos se asientan a veces en creencias equivocadas y perjudiciales, como la de pretender, por ejemplo, que las madres, por el hecho de serlo, deben saberlo todo. A ser madre se aprende. Se trata de una labor creativa que se construye día a día entre ella y su hijo. La madre no es infalible, aprende de sus errores y esto, lejos de producir inseguridad al niño, le hace más fuerte psicológicamente. No son las equivocaciones ni los errores de la madre lo que perjudica al niño, sino la angustia de esta por sentirse culpable de no ser «perfecta».

Es bueno para una madre mantenerse creativamente insegura cuando desconoce algo, porque esto la conduce a buscar la información que necesita. El exceso de confianza, sin embargo, puede resultar perjudicial, pues alimenta la imagen de una madre omnipotente y omnipresente, que provoca inmadurez e inseguridad en el hijo.

Conviene analizar la relación con nuestra madre. La idea de la maternidad puede corresponder a ilusiones y fantasías infantiles. Si elaboramos la posible idealización de nuestra madre, descubriremos que también ella fue imperfecta, lo que nos ayudará a ser más tolerantes con las fallas propias.

Luchar contra las culpas

El sentimiento de culpa es una de las emociones que más perjudica la buena sintonía entre madre e hijo. Aparece bajo muchas formas:

—Culpa por no pasar más tiempo con el hijo. Lo determinante para un niño no es la cantidad de cosas que su madre hace con él, sino «cómo» las hace. De poco sirve al niño que su madre esté continuamente cerca si está insatisfecha o ansiosa. Si se quedara todo el tiempo en casa, las tareas domésticas también le impedirían prestarle una atención continua.

—Culpa por tener que dejar a un hijo enfermo. La fuente más común de autorreproche para la gran mayoría de las madres se asienta en la idea de que su presencia física es fundamental para la vida del hijo. Esto es así durante los primeros meses; después, la representación mental de la madre es tan importante para el niño como su persona. La representación psíquica materna se construye cuando la madre no está y el bebé piensa en ella. Cuando llega, si es escuchado y atendido en lo que precisa, el niño registra una representación materna suficientemente buena y de esta manera va aprendiendo a esperar e incorporar dentro de sí una forma de cuidarse y quererse al estilo de como lo hacía su madre.

El objeto transicional

Según el psicoanalista y pediatra D. W. Winnicott, se trata de un objeto material importante para el bebé y el niño pequeño y que por lo general se hace imprescindible en el momento de dormirse (un trozo de tela, el chupete, un juguete...). Este objeto representa para el niño el pecho de la madre y realiza una transición entre la fusión que en principio tiene con ella y el reconocimiento de que hay otro distinto a él.

La posesión de este objeto prepara al niño para aceptar la soledad porque mientras juega con él está experimentando y creando una zona intermedia entre la realidad externa y la interna, entre lo que le viene de fuera y lo que le viene de dentro. A esta zona intermedia, en la que el niño experimenta lo que le pertenece y lo que no, colaboran tanto la realidad externa como la interna y crea «un lugar de descanso para el ser humano metido en la perpetua tarea humana de mantener separadas y a la vez interrelacionadas la realidad interior y la exterior». Este tipo de fenómenos corresponde, según Winnicott, al terreno de la ilusión y será lo que en la vida adulta corresponda a la esfera de las artes, la vida imaginativa o todo tipo de acción creativa.

La profesión que más me gusta

Es saludable que en algunos momentos de nuestra vida profesional nos preguntemos por qué nos dedicamos a esta profesión y no a otra, que hagamos balance de cómo nos va y de cómo nos sentimos.

El grado de satisfacción que obtenemos en la profesión que realizamos mide el acierto o la equivocación que hemos tenido al elegirla. Aunque no hay profesión sin dificultades, no es lo mismo afrontarlas desde un trabajo impuesto que desde uno deseado. Los errores al elegir una profesión dependen con frecuencia del intento de satisfacer a otros más que de respetar nuestras inclinaciones. Esos otros suelen ser los padres, que con frecuencia se empeñan en dirigir más que en orientar. Cuando los hijos siguen las profesiones en función de los gustos paternos, y no de los propios, tarde o temprano se sienten incómodos con lo que hacen. Si no pueden poner en cuestión lo que les ha sido dado, tampoco podrán después hacerlo suyo, sentirlo como propio. Entonces es probable que se equivoquen.

Hay muchos campos profesionales. Trabajar en aquel que más tiene que ver con los intereses propios significa apostar por una vida más plena. Merece la pena pensar en lo que gusta y no dejarse llevar por lo que aparece o por lo que proponen otros.

María: asumir el propio deseo

Nunca había estado María tan alegre, tan segura, con tanta energía. El motivo: había cambiado de trabajo. No era la primera vez que no sentía el suelo firme bajo sus pies, pero no le importaba. Esta vez iba a hacer lo que quería.

María era informática en una empresa. Jamás le gustó su profesión, pero nunca se había preguntado por qué. A veces se ponía triste sin venir a cuento. El tratamiento al que acudió por culpa de una depresión logró sacarla de aquel marasmo vital. Allí descubrió que siempre había intentado que su padre la reconociera como valiosa: por eso había hecho una carrera de ciencias. No le había dado opción a elegir, pues siempre había dicho lo buena que era en aquello que a él le gustaba. Sin embargo, lo que prefería María era comprar y vender. Su madre había tenido una tienda de lencería femenina donde ella había pasado muy buenos ratos. María decidió poner una tienda de decoración de interiores. Había dejado de trabajar para cubrir el deseo de otro (su padre) y conectarse con un deseo propio, deseo que no había podido defender por estar asociado a su madre y a un interior femenino que se encontraba en conflicto. Entonces comenzó a desplegar su faceta creativa y a amueblar su mundo interno aceptando sus características más femeninas.

Tiene razones para estar contenta: ahora es ella quien se valora y por eso disfruta con lo que hace.

Cultivar el talento

El talento para ejercer cualquier actividad viene de la interacción entre un impulso interno que intenta expresarse, y que siempre tiene relación con la creatividad, y un ambiente externo que favorece esa actividad y pone medios para que se desarrolle. Se trata de una combinación entre lo que nos viene de dentro y la capacidad que tenemos para aprender cómo podemos realizar esa actividad. Tenemos que buscar los recursos necesarios para aprender lo que queremos llevar a cabo. La fuerza del deseo que nos empuja a hacer aquello que nos gusta y nos sale bien tiene que ser más potente que el deseo de complacer a los otros con lo que hacemos. Cuando lo que se busca es, sobre todo, el reconocimiento externo, el talento no se desarrolla igual que cuando ese reconocimiento es la consecuencia de habernos arriesgado a hacer lo que nos gusta.

Estamos, en alguna medida, determinados por el ambiente que nos rodea, por lo que esperan de nosotros. Si la educación que recibimos inhibe o rechaza nuestros talentos, porque los padres tienen dificultades para aceptarlos, siempre existe la posibilidad de no aceptar el criterio de los padres, que, en ocasiones, y por dificultades psicológicas propias, se equivocan.

Todas tenemos algún talento cuyo desarrollo dará a nuestra vida un color diferente, más alegría, más vitalidad, más ganas de vivirla. Cocinar un plato exquisito, tejer una chaqueta, pintar un cuadro, cuidar un jardín, cultivar amistades, educar a un hijo: para todo ello hace falta talento. Aquello para lo que más capacidad tenemos suele coincidir con lo que más nos gusta hacer.

Mar: el eco de la infancia

Había entrado en una tienda a comprar material escolar para su hijo. Además de con las cosas del niño, salió de la tienda con un maletín con todo lo necesario para pintar cuadros al óleo. También compró varios lienzos pequeños. Estaba tan contenta como una niña que acabara de conseguir un juguete esperado largo tiempo. Iba a llenar su vida, que últimamente era bastante gris, de colores.

Siempre le había gustado pintar. Durante el verano había pensado que este otoño quería hacer algo diferente, algo con lo que disfrutara. No había concretado el qué, pero ahora se daba cuenta de que había retomado un impulso infantil que nunca se había atrevido a llevar a cabo. Le ayudó, sin duda, a tomar esa decisión, una frase de su hijo. La había pronunciado mientras ella le daba clase de matemáticas en agosto:

—Mamá, tienes que comprender que yo no soy como tú, a mí no me gustan las matemáticas.

Mar se quedó pensativa. Ella trabajaba en Hacienda y se pasaba el día haciendo números. Su padre había sido inspector y ella había seguido su camino. Ahora se daba cuenta de que siempre había ahogado sus gustos porque a su padre, que era un hombre bastante rígido, no le parecían serios. Cuando era pequeña y llegaba del colegio con las notas, Mar siempre le decía:

—Mira, papá, he sacado un diez en dibujo y gimnasia.

A lo que su padre respondía:

—Bueno, hija; pero ahora dime qué has sacado en lo que verdaderamente importa. ¿Qué nota tienes en matemáticas?

Las aprobaba por los pelos; a veces las suspendía porque no le gustaban, aunque, como era lo «verdaderamente importante», acabó trabajando como su padre, entre números. Jamás había sido capaz de reconocer que no le gustaban las matemáticas porque jamás se había opuesto a su padre para defender sus gustos. Su hijo sí tenía la capacidad de reconocer las diferencias entre él y ella, quizá porque ella también tenía la capacidad de dejar que formara su propio criterio, al que no se oponía con descalificaciones. Después de una psicoterapia, Mar comenzaba a hacerse cargo de sí misma. Comenzaría por apuntarse en un taller de pintura para desarrollar aquella afición remota. Lo primero que le apetecía pintar era una «marina». Así, curiosamente, solía llamarla su abuelo.

Algunas mujeres trabajan en la actualidad más que sus maridos, lo que significa que estos pasan más tiempo que ellas en casa. ¿Sirve el trabajo excesivo para encubrir dificultades no resueltas en otros ámbitos de la existencia? ¿Hay mujeres adictas al trabajo? ¿Qué les ocurre para llegar a serlo? ¿Cómo lo viven sus maridos?

Un hombre cuya mujer trabaja demasiado puede sentirse, sobre todo si envidia lo que ella hace, minusvalorado, disminuido o utilizado. Pero estos sentimientos no son distintos de los de la mujer cuyo marido realiza largas jornadas laborales y regresa a casa tarde. Si ella envidia esa forma de vida, se sentirá abandonada y utilizada por él. A esta envidia hay que añadir el lógico sentimiento de injusticia cuando el otro no colabora en las funciones que tienen en común, como la casa o el cuidado de los hijos. Ahora bien, si ninguno de los dos es demasiado dependiente del otro, significa que ambos han alcanzado una madurez psicológica aceptable. El que trabaja demasiado no intentará escabullirse de sus otras funciones familiares y su cónyuge no se sentirá ni injustamente tratado, ni poco querido, ni minusvalorado.

Estela: ser madre y profesional

Lejos de sentirse mal porque su mujer trabajara tanto, Carlos se sentía orgulloso de ella. Es cierto que no pasaba mucho tiempo en casa durante la semana, pero, cuando estaba, se la veía feliz, lo que era bueno para todos. Sus hijos (tenían dos, de cinco y siete años) permanecían con una canguro desde que llegaban del colegio. Luego, él se ocupaba de ellos hasta que llegaba Estela. Si ella se retrasaba por algún imprevisto, él mismo les daba de cenar y los acostaba. Los conocía bien y los manejaba a la perfección. Estela había cumplido su parte del pacto, que fue quedarse más en casa durante el primer año de cada uno de sus hijos; ahora su horario de trabajo era más amplio y le tocaba a su marido estar más tiempo junto a ellos.

Estela sabía muy bien por qué pasaba tanto tiempo en su trabajo: le encantaba su profesión y, aunque en ocasiones se encontraba cansada, asumía sin problemas que su jornada laboral fuera tan larga. Era creativa en una empresa de publicidad. También a veces se sentía un poco culpable porque estaba poco tiempo con sus hijos. Sin embargo, gracias a la psicoterapia, ahora tenía recursos para entenderse a sí misma y no se castigaba tanto. Tiempo atrás había asistido a un tratamiento para hacer frente a una depresión que estuvo a punto de dejarle sin energías para trabajar. Entonces Estela y Carlos querían tener un hijo y ella no podía quedarse embarazada.

En el tratamiento descubrió por qué dentro de su cabeza era en cierto modo incompatible la idea de ser madre con la de trabajar fuera de casa. Su infancia transcurrió entre las discusiones de sus padres porque su madre se quejaba continuamente del trabajo que le daban sus hijos y de que su marido no la ayudaba nada. Además, se peleaban también por el dinero, pues ella decía que le daba poco para la comida y los gastos de la casa. Él, por su parte, le recriminaba que gastara mucho. Amargada y triste, sobrecargada de tareas domésticas, la madre de Estela decía que lo mejor que podía hacer una mujer era ganar dinero y no depender de un hombre. Estela, además de ganar dinero, disfrutaba de su trabajo, en el que se sentía reconocida, pero temía convertirse en una madre al estilo de la suya y estropearlo todo. Afortunadamente, Carlos era un hombre maduro y responsable, al que le gustaba estar con sus hijos. Estela, por su parte, se ocupaba de ellos todo el fin de semana y su amor por Carlos aumentaba según se daba cuenta de que su marido, al contrario que su padre, lejos de intentar dominarla, se sentía orgulloso de su capacidad de trabajo.

Cuando uno de los dos miembros de la pareja trabaja mucho y el otro no protesta ni se siente mal por ello, es porque hay amor y madurez psicológica. El cónyuge de alguien que tiene largas jornadas de trabajo y acepta esta situación, sabe amar y respetar las características del otro, incluso aunque esa forma de trabajar de su pareja esté tratando de tapar algún conflicto interno. Comprender las necesidades del otro sin sentirse excluido o abandonado, sin competir con él ni envidiarle, es una prueba de madurez. Esta situación ideal suele producirse cuando ha podido realizarse la elaboración de una identidad adulta. En cualquier caso, lo mejor es que estas situaciones de gran desigualdad entre el trabajo fuera del hogar y dentro no se prolonguen durante largo tiempo. Si el hombre es muy dependiente o celoso; si necesita más una madre que una compañera; si su identidad es tan frágil que solo se siente bien en una situación de poder sobre la mujer, es muy difícil que acepte que ella trabaje más que él.

Nuestro psiquismo tiene movimientos de compensación. Cuando un aspecto de nuestra vida está muy cargado, probablemente hay otro carenciado.

En ocasiones, el trabajo excesivo oculta problemas con:

—La pareja: si la comunicación es poca o nula o si la mujer no se siente valorada como persona, es muy probable que se quede en el trabajo más de la cuenta, porque allí se siente útil y reconocida. Tanto los hombres como las mujeres utilizan el trabajo para huir de situaciones familiares poco gratificantes. La diferencia entre ellos y ellas es que mientras que las mujeres se culpan por estar poco con los hijos, los hombres creen que trabajar muchas horas es una forma de ser mejor padre o esposo.

—Los hijos: las dificultades para ejercer de madre o padre pueden ser escondidas tras jornadas laborales inmensas, que no permiten estar con los hijos el tiempo necesario para establecer un vínculo afectivo.

—El lugar ocupado: si en la familia se ha tenido un lugar poco valorado en relación a un hermano, por ejemplo, es posible que el ansia de reconocimiento se desplace, una vez adulto, al ámbito laboral y se persiga sin descanso el reconocimiento social. Si lo femenino, que permanece asociado al cuidado de los hijos y a la familia, está desvalorizado, la mujer puede trabajar al estilo masculino para compensar esa minusvaloración que no ha podido elaborar.

LA *SUPERWOMAN*

La *superwoman* responde a una fantasía: la de la mujer que lo tiene «todo», una fantasía infantil que el niño tiene sobre su madre, a la que ve con un poder absoluto. En su intento de tenerlo «todo», esta supermujer no puede vivir placenteramente, ya que por lo general está agotada.

En la búsqueda de la igualdad, y después de siglos de desigualdades, se ha producido en algunos aspectos un efecto péndulo que ha hecho caer a algunas mujeres en la trampa de intentar «tenerlo todo». Con frecuencia, el afán de tener solo busca tapar la falta de autoestima, de seguridad personal, de autosatisfacción. Agotada por demostrar lo que vale, se olvida de disfrutar de lo que es: mujer.

La *superwoman* con estas características está empujada por un imaginario colectivo que le exige demasiado. Es el resultado de una cultura que le pide más, le pide que siga cumpliendo con las funciones de siempre y además que sea competente en su trabajo, mientras que al hombre le pide menos.

La *superwoman,* agotada, se ha dejado llevar más por imposiciones externas que por verdaderos deseos personales, ha intentado compensar a aquellas madres o abuelas frustradas en su dimensión social y laboral, pero ha encontrado la frustración en su vida personal.

Hoy, en el siglo XXI, quizá hay una mujer que merece esa denominación y que sin embargo no se ajusta al mito: es esa mujer que lucha como la otra por realizar sus deseos, pero que no se deja arrastrar por la necesidad de demostrar su poder, que defiende su feminidad y que conoce sus límites, que no se siente culpable de repartir su tiempo entre sus hijos y el trabajo, que sabe pedir ayuda y que puede decidir y elegir de acuerdo a sus verdaderos deseos.

Asun: la fortaleza y la fragilidad

—No es cierto, yo no soy ninguna *superwoman* —le contesta Asun a su amiga Lola.

Asun es ejecutiva de una empresa de *marketing.* Tiene un hijo pequeño y está embarazada de cuatro meses. La primera semana de agosto tiene que hacer un viaje de trabajo, por lo que se reunirá con su familia a partir del día 7. Está cansada y necesita las vacaciones. Asegura que no le apetece el viaje de trabajo, pero lo hará porque es una profesional. A Lola, sin embargo, le parece que su amiga prefiere el viaje de trabajo a las vacaciones porque la considera una *superwoman,* término que disgusta a Asun porque lo asocia a una mujer que quiere triunfar profesionalmente por encima de todo y que además atiende a las tareas del hogar. Una mujer, en fin, que nunca se cansa y cree que puede resolverlo «todo».

Lejos de considerarse una *superwoman,* Asun se siente una mujer normal, quizá un poco privilegiada porque trabaja en lo que le gusta y ha conseguido tener una familia estupenda. Pero también es cierto que necesita ayuda en la casa, con los niños, que a veces se siente cansada y que, lejos de sentirse muy fuerte, cada día se siente más frágil, pero también más feliz. Sabe lo que quiere y todos los aspectos de su vida son importantes. Le gusta que un producto que promociona tenga éxito, pero también que su hija le haga un dibujo o que su pareja le sonría con cara de complicidad.

Cuando Lola se refería a Asun como *superwoman,* lo hacía con cierto tono de envidia, pues veía en su amiga la representación de lo que a ella le gustaría ser. Pero Lola confundía ser una mujer segura de sí misma y feliz con lo que hace con una mujer que se engaña y cree que lo tiene «todo».

Muchas de las hoy llamadas *superwomen* son mujeres cargadas de trabajo dentro y fuera del hogar. Hacen lo que hacían sus madres y además soportan jornadas de trabajo maratonianas, imitando quizá los patrones masculinos, si bien es cierto que parece que por ahora no hay otros.

Dos modos de ser superwoman

El primero corresponde a aquellas mujeres que optan por tener, por demostrar, por tapar lo que les falta (autoestima y seguridad), por negar sus limitaciones y por competir con el modelo masculino. Con frecuencia sufren de:

—Agotamiento: la lucha interna que llevan a cabo entre lo que tienen que hacer y lo que quieren les hacen sentirse mal consigo mismas.

—Irritabilidad: gastan demasiada energía psíquica y entonces aparece la irritación. Siempre les parece que no alcanzan del todo lo que se han propuesto. Nunca están de acuerdo consigo mismas.

—Exigencia: a menudo son exigentes en exceso y toleran mal los fallos, no solo en los otros, sino también en sí mismas. Son intolerantes.

La verdadera *superwoman* representa otro modelo. Es aquella que ha conseguido llegar a ser coherente consigo misma, que realiza lo que se enlaza con sus deseos, que acepta sus limitaciones y defiende su feminidad. Aquella que inventa un nuevo modelo de mujer y se siente libre porque decide sobre su vida. Más que luchar por tener, lucha por ser mujer de forma diferente, sin sometimientos, con responsabilidad.

Con frecuencia disfruta de:

—Tranquilidad, porque ese acuerdo que tiene consigo misma le conduce a alimentar un mundo interior más rico y mucho más complejo.

—Tolerancia, porque sabe aceptar sus fallos, aprende de ellos y, por lo tanto, tolera los errores ajenos. Se siente segura de sí misma sin necesidad de controlar a los otros.

—Entereza. Este tipo de mujer suele poseer fuerza de carácter porque entraña un gran esfuerzo realizar todas las tareas que hace, aunque las realice con placer.

4
La autonomía

Tomar decisiones

La vida cotidiana está llena de pequeñas decisiones (qué comemos hoy; qué vestido me compro; adónde vamos de vacaciones...), pero también de grandes decisiones (qué profesión elijo; qué pareja; qué grupo de amigos...). Hay mujeres que dejan que otros decidan por ellas. Así, alienadas por deseos ajenos, adoptan una posición pasiva y en apariencia cómoda, pero también bastante destructiva.

No tomar decisiones, y en consecuencia no elegir, implica vivir bajo la idea fantástica, aunque no necesariamente consciente, de que no hay que renunciar a nada. Se trata de una posición inmadura e infantil, pues el niño evita enfrentarse a sus limitaciones y posibilidades reales para no perder la ilusión de que lo puede todo.

Decidir significa arriesgarse a fracasar; implica renunciar a algo en favor de lo que se desea; obliga a decir sí a unas cosas y a rechazar otras. Decidir es hacerse cargo de los deseos propios e intentar llevarlos a cabo. Para ello, hay que haber aprendido a ser libre y aceptar los efectos que nuestras decisiones provocan en nuestro interior y en nuestro entorno. Aprender a tomar decisiones es, en alguna medida, haber aprendido a vivir.

La mujer con capacidad para elegir se siente viva porque se sabe dueña de su historia personal.

Hay dudas razonables que conviene tener en cuenta antes de tomar las grandes decisiones. Pero cuando alguien, después de valorar los pros y los contras, toma una postura firme respecto a algo, ello significa que tiene una subjetividad bien asentada y que no está atada a ese tipo de inseguridades internas que a veces nos mantienen prisioneras de posiciones infantiles y pasivas.

El «yo» del niño se cree omnipotente y por eso está convencido de que lo tiene todo, por lo que no es necesario decidir. La diferenciación entre quiénes somos y quién es el otro constituye un proceso de maduración psicológica que conduce a la autoestima y a la renuncia de esa posición infantil y omnipotente, donde todo nos era dado y no teníamos nada que resolver.

La identidad se levanta sobre el conocimiento de lo que debemos hacer para obtener lo que deseamos.

Aprender a tomar decisiones está relacionado con aprender a ser adulto, tarea que nunca se termina de completar.

Dolores: ser todo para los otros

Había aprendido a vivir desde que dejó de tener miedo a decidir. Hasta entonces, se había dejado querer, trabajaba en algo que no le gustaba y veía pasar la vida —su vida— como una espectadora desganada. Fue preciso que la tristeza se colara hasta el tuétano de sus huesos y que cayera en una depresión para que empezara a romper con todo. Gracias a la psicoterapia, descubrió su capacidad de decisión y decidió, para empezar, cambiar de trabajo y dejar a su novio.

Hasta ese momento tenía la sensación de que nunca había resuelto nada por sí misma. La vida resolvía y ella se sometía a esas resoluciones. Había vivido encorsetada por el deseo de los otros, dedicada a hacer lo que los demás esperaban de ella y no lo que ella quería para sí misma.

Dolores era la mayor de cuatro hermanas y le había tocado, desde antes de tener edad para ello, el papel de responsable. Sus padres la colocaron en ese lugar y ella lo aceptó para no decepcionar a su padre y ver así realizado el deseo de ser la favorita de él frente a sus hermanas. Más tarde, también para responder a un deseo no realizado de su padre, estudió Derecho, y eligió al novio que caía bien a la familia, aunque a ella le resultaba indiferente. Poco a poco, acto tras acto, se había ido colocando donde creía que los otros querían verla más que donde a ella le habría apetecido estar. En su afán de ser todo para los otros, no era nada para sí misma.

Cuando contempló su vida bajo este prisma y comprendió lo que había pasado, decidió rebelarse. No fue fácil, pues le daba miedo romper con todas aquellas ataduras impuestas, pero también su vida adquirió una intensidad de la que antes carecía. Abandonó el deseo de ser la favorita de su padre para sentirse más libre en sus elecciones.

Asumió el riesgo de equivocarse con sus decisiones, pero saboreó el placer de encontrarse a sí misma y de tomar las riendas de su vida.

Saber decir que no

Decir sí cuando estamos deseando decir no es peligroso para encontrar el bienestar emocional. ¿Por qué lo hacemos? Para que nos quieran. Decimos que sí para complacer al otro, para demostrar que somos capaces de responder a lo que nos piden, porque lo que piensen nos parece más importante que la opinión que tenemos sobre nosotras. En definitiva, porque dependemos demasiado de los demás y nos adaptamos a sus pedidos sin poner límites. Una autoestima baja imposibilita decir no a lo que no deseamos hacer. Si nos negamos a lo que nos piden, estaríamos haciendo caso a nuestros sentimientos e ideas. Sin embargo, cuando hay una baja valoración de nosotras mismas, nos dedicamos a complacer al otro para que sea él quien reconozca nuestro valor. Saber negarnos significa defender nuestros deseos. Y ello no implica desairar al otro, sino diferenciar sus intereses de los nuestros y hacernos cargo de nuestra identidad.

Julia y Enrique: sostener el malentendido

Las salidas se habían convertido en una fuente de conflictos. Julia y Enrique no podían evitar discutir cada vez que llegaba el sábado. El último, por ejemplo, Julia preguntó a Enrique qué le gustaría hacer por la noche. «No me importa, lo que tú quieras», dijo él, depositando en ella la responsabilidad de decidir, supuestamente, para complacerla. «Vamos al cine, a ver esa película que mencionaste el otro día», propuso Julia, a la que en realidad apetecía hacer otra cosa. «Está bien, lo que tú digas», respondió Enrique. A Julia no le gustó la película y Enrique estuvo distante. Cuando volvían a casa, ella le preguntó qué le pasaba y él dijo que habría preferido quedarse en casa, viendo el partido.

Desde hace tiempo, todo entre ellos es un malentendido. Ella hace lo que cree que le gusta a él, y él lo que cree que le gusta a ella. Al final, con tanto cuidado aparente por el bienestar del otro, ninguno queda satisfecho porque ninguno hace lo que le apetece. Julia es incapaz de sostener su deseo cuando no se corresponde con el de Enrique. ¿Qué hubiera pasado si ella hubiera ido con una amiga, o sola, a hacer lo que deseaba y él se hubiera quedado en casa, tal como quería? Julia identifica ser mujer con ocuparse de los deseos ajenos antes que de los propios, transmisión familiar que la cultura refuerza en el sexo femenino. Enrique asocia ser hombre con complacer a la mujer en primer lugar. Excelente combinación para no entenderse.

La palabra «no» ayuda a la formación del «yo»

La palabra «no» empieza a pronunciarse cuando se comienza a organizar el «yo», alrededor de los dos años. El niño, influido por los límites que recibe de los padres, comienza a delimitar quién es él y el otro, diferenciándose de la madre y aprendiendo lo que es suyo.

En la adolescencia se reedita el enfrentamiento con los adultos, la negativa a comportarse como ellos revela los intentos que los chicos realizan para reforzar su identidad. Niegan lo que les viene de fuera para afirmar lo que quieren construir dentro. Algunos sucesos infantiles determinan la necesidad de demostrar al otro que se puede responder siempre a su demanda. Si los padres, para tapar sus propias frustraciones, pusieron expectativas altas en el hijo, este podrá experimentar un deseo continuo de complacer la insatisfacción ajena. Existe otra alianza afectiva que fomenta esta tendencia, cuando en la infancia un niño ocupa un lugar inadecuado. Por ejemplo, cuando el hijo se convierte en el apoyo de los padres o tiene que hacerse cargo de hermanos pequeños no estando maduro para ello. Estas alteraciones en el desarrollo psicoafectivo de una persona pueden llevarla a asociar la negativa con un enfrentamiento. A las expectativas demasiado altas, que provienen de una exigente mirada paterna, se agregan las demandas del entorno cultural en el que vivimos.

La compulsión por demostrar a los demás nuestra valía, respondiendo siempre afirmativamente a sus pedidos, corresponde a una exigencia casi inhumana de entregarse al otro para olvidar quiénes somos.

Saber decir adiós es posible cuando se ha aprendido a amar. Podemos amar cuando hemos dicho adiós al narcisismo y sabemos valorar al otro sin confundirnos con él. Cuando hemos dicho adiós a la omnipotencia y no exigimos al otro más de lo que puede dar. Entonces no nos dejamos exigir ni malquerer y sabemos reconocer a aquel que nos hace daño y le despedimos de nuestras vidas. Decir adiós a aquella pareja o aquella amiga que no nos conviene significa haber aprendido a quererse y a protegerse, para disfrutar de lo que la vida nos puede dar.

En la adolescencia decir adiós al niño o la niña que fue nuestro hijo para dar la bienvenida al hombre o la mujer que desea ser, es un acto de amor y de generosidad. Despedirnos de nuestra juventud para acoger la madurez es un acto de amor a nuestro proceso vital.

La historia de Teresa nos aporta algunos datos sobre por qué a ella le resultaban insoportables las despedidas.

Teresa: un desamparo prematuro

Siempre había odiado las despedidas, no sabía decir adiós, pues se le ponía un nudo en la garganta y se sentía abandonada. Tenía mucha facilidad para sentir que la dejaban, que se quedaba sola, que no la querían, y este sentimiento, que formaba parte de su personalidad, la había conducido a sostener en la pareja una posición que no le convenía y un trabajo que no le gustaba. Cultivaba, además, la amistad de una mujer que, más que apoyarla, se dedicaba a competir con ella.

Teresa aprendió a decir adiós después de una psicoterapia que le hizo acceder a un saber sobre sí misma del que antes carecía. Descubrió, por ejemplo, que parte de la minusvaloración que padecía promovía su temor al abandono, que para ella era la confirmación de que no la querían. Este temor se remontaba a su primera infancia, cuando su madre la dejó durante una larga temporada con una abuela, debido a una situación familiar complicada que nunca entendió. Esta separación, tan repentina y tan larga para un bebé, marcó la infancia de Teresa con el temor de que probablemente su madre intentó abandonarla, porque quizá no era bastante buena. Quizá se lo merecía. Al poco de volver con su madre, sus padres se divorciaron y su padre se fue de casa. Teresa volvió a sentirse abandonada. Entonces decidió hacerse la buena para ser querida y no sentirse de nuevo rechazada. Y esta actitud es la que había mantenido a lo largo de su vida. Se acoplaba al deseo de los otros con tal de sentirse querida, con tal de no sufrir un nuevo abandono. En realidad, continuaba siendo una niña sometida a lo que los otros quisieran. Pero Teresa elaboró, entre otras cosas, la situación infantil que le había dejado enganchada a su madre para empezar a crecer y a despedirse de todo aquello que ya no quería, incluso de la niña que dentro de sí no la dejaba ni valorarse ni alcanzar sus objetivos. Se alejó de su amiga, más bien la despidió de su vida, porque ella cambió mientras que su amiga no estaba dispuesta a salir de la posición dominante que siempre le había gustado ocupar. Dejó la oficina donde trabajaba como administrativa y que no soportaba, pidió un préstamo, alquiló un local pequeño para poner una perfumería, que era su ilusión. En cuanto a su pareja, decidió que si él no cambiaba de actitud y la apoyaba en su iniciativa, ya no le aguantaría más y se separaría.

HABITAR LA SOLEDAD

Hay una soledad amiga y otra enemiga. Hay una soledad dulce y otra desgarrante. En los momentos de lucidez, cualquiera de nosotros es capaz de enfrentarse al desafío de la soledad. En realidad, en todo momento estamos solos ante el misterioso espacio que se abre en nuestro interior y que no siempre comprendemos, pero que debemos aprender a escuchar. Cuando se trata de la mujer sola, se piensa más en la soledad negativa, como si no fuera una elección, como si una mujer sola transgrediera, más que un hombre, las normas sociales.

La soledad tiene un lado positivo que la mujer cultiva cada día más. Esta intimidad está llena de contenidos, de recuerdos. Se trata de un mundo inagotable e indispensable para lograr una identidad autónoma. «Sola» puede ser sinónimo de «independiente». Un ser independiente es libre de decidir y no acepta el sometimiento. Estar sola, en este sentido, implica ser dueña de sí, y esta es una imagen nueva, que la mujer ha conquistado en los últimos años.

La mujer conecta bien con su soledad y camina hacia lo propio cuando se convierte en madre de sí misma.

Cuando se da esta especie de maternización interna, se descubre también la capacidad de una misma para cuidarse. El logro de la autonomía psíquica requiere un trabajo y un esfuerzo continuados. El viaje que la mujer realiza para llegar a esta cita consigo misma tiene un largo recorrido y pasa por dos estaciones. Una tiene que ver con la relación con la madre durante los primeros años de la vida: un lazo afectivo que hay que saber romper para arriesgarse a la conquista de su propio mundo. La adherencia a la madre protege a la niña, pero infantiliza a la mujer.

La segunda estación es la de la protección paterna. La función del padre es ayudar a la hija a crear un espacio propio que le permita separarse de las dependencias familiares. El sometimiento al padre resguarda a la hija, pero le impide el crecimiento. Las adherencias a los primeros objetos amorosos y los prejuicios socioculturales fomentan el aniñamiento de la mujer. El miedo que hasta ahora había tenido a vivir sola y la imposibilidad económica de hacerlo, al no haber accedido al mercado laboral, han sido claves para retrasar la conquista de la autonomía.

Esperanza se siente sola

Está deprimida y una intensa pena le oprime la garganta. ¿Qué le sucede? Esperanza es ama de casa, tiene cuarenta y siete años y tres hijas que ya se han independizado. Su marido es un ejecutivo de banca con el que últimamente no habla. Hace meses que la relación con él es prácticamente inexistente, pues apenas pasa tiempo en casa. Sin embargo, Esperanza tiene mucho miedo a que su marido quiera separarse, porque no sabría qué hacer. En esta situación decide hacer una visita a su hija pequeña, Sonia, de veintiséis años. Hace meses que alquiló una casa cerca de la editorial donde trabaja y aunque tiene novio, aún no se ha decidido a vivir con él. Mientras Esperanza habla con su hija, se da cuenta de que ella también quiso vivir sola, al menos durante un tiempo. Pero ya no es joven, aunque tampoco tan mayor. Esperanza comienza a soñar despierta y se imagina trabajando como restauradora, profesión que abandonó para dedicarse a la familia. Ahora tendría que ponerse al día, estudiar y aprender, pero no le importaría hacerlo.

Meses más tarde, Esperanza decide romper con su marido e irse a vivir con sus deseos y crear nuevas relaciones. Su tristeza se disipa poco a poco y el vértigo que le producía estar sola también. Se va a poner a restaurar, además de objetos, su mundo interno, que estaba muy deteriorado. La soledad se rehúye porque son pocos los que se encuentran en buena compañía consigo mismos. La capacidad para estar solo guarda relación directa con el hecho de tener un mundo propio, para después compartirlo con los demás.

La seguridad en una misma

La verdadera seguridad en una misma se apoya en el reconocimiento y la aceptación de los límites y las carencias que nos constituyen, lo que significa quererse no solo en los éxitos, sino también en los fracasos; no solo cuando estamos en una posición de fuerza, sino cuando reconocemos nuestras debilidades. La prepotencia, en cambio, se apoya en algo bien opuesto y no conviene confundir una con la otra. ¿Cuál es la diferencia entre la prepotencia y la seguridad en uno mismo? ¿Qué promueve la seguridad en uno mismo?

La prepotencia se deriva de negar las limitaciones personales, precisamente porque se les tiene miedo. Se trata de mostrar a los otros una fuerza que solo trata de ocultar aquello que no se puede soportar. La prepotencia siempre se levanta contra otro, al que se intenta dominar. El «yo» del prepotente es un «yo» primitivo, que no se ha diferenciado del otro, ni ha madurado lo bastante como para respetarlo. Es un rasgo basado en la ignorancia de los miedos personales que se mueven inconscientemente y que para huir de ellos coloca las debilidades internas en los demás. Mostrar a otros la potencia es un excelente método para acallar los temores propios.

Cuando una se conoce bien a sí misma, es imposible ser prepotente, porque todos los seres humanos estamos marcados por carencias que tuvimos que sufrir, por debilidades que tenemos que aceptar, por límites que tenemos que respetar tanto en nosotras como en los demás. Todos somos susceptibles de padecer enfermedades y todos somos mortales.

Huir del reconocimiento de nuestras equivocaciones y nuestros fracasos significa ir contra nosotras mismas. Solo se desea ser demasiado fuerte cuando una se siente demasiado débil.

El origen de la seguridad en uno mismo se halla en las personas y en el ambiente afectivo que rodean al niño en los primeros años de vida. El psicoterapeuta inglés John Bowlby afirma que una base segura para construir la personalidad es aquella que proporcionan los padres cuando el niño y el adolescente tienen la certeza de que pueden hacer salidas al mundo exterior y después pueden regresar sabiendo que serán bien recibidos, alimentados física y emocionalmente; reconfortados si se sienten afligidos; y tranquilizados si se sienten asustados. El papel de la familia consiste en ser accesible, en responder cuando se le pide aliento, y tal vez ayudar, pero intervenir activamente solo cuando es necesario. Así, los hijos aprenden a confiar en sí mismos.

Olga: la falsa fortaleza

Olga, que nunca había soportado ni en sí misma ni en los otros el menor síntoma de fragilidad, había logrado parecer una mujer dura, pero se trataba de un disfraz. Ahora, a los cuarenta y dos años, acababa de descubrir que la primera condición para ser fuerte era aceptar las debilidades, los límites, las carencias personales. Lo había descubierto en el transcurso de una psicoterapia a la que llegó después de haber acudido a varios médicos que al final le dijeron que todo lo que le ocurría con su estómago y su piel era una cuestión de nervios.

Trabajaba en una agencia de viajes, tenía una niña de tres años, y su pareja era un hombre que en principio le gustó por su capacidad de decisión y su aparente seguridad en sí mismo, características que se convirtieron más adelante en intolerancia y prepotencia. Olga se preguntaba cómo se había enamorado de él por unos rasgos que ahora comenzaba a detestar. Pero se parecían mucho, pues su pareja aparentaba lo que no era del mismo modo que ella había disfrazado la inseguridad en sí misma tras una fachada de fortaleza que ahora se había venido abajo.

Olga había desarrollado esa máscara de falsa fortaleza especialmente en su trabajo, pues trataba de compensar en él las carencias que tenía en sus relaciones personales. En este sentido, había intentado demostrarse a sí misma que desde el punto de vista laboral era mejor que cualquier hombre sin darse cuenta de que, al competir con ellos, competía en su fantasía, con sus hermanos. Su madre siempre había tenido una clara preferencia por ellos, que habían sido, según decía ella misma, su debilidad. De Olga, en cambio, decía que era fuerte y que no necesitaba tantos cuidados, lo que constituía una forma de dejarla sola. La lucha de Olga por conseguir una aceptación materna, que nunca se produjo, la condujo a rechazar su feminidad, pues organizó en su cabeza la idea de que era por ser chica por lo que su madre la rechazaba.

Olga dejó de ser prepotente cuando se reconcilió con su feminidad y pudo aceptar que su madre, más que rechazarla como mujer, no había podido acogerla porque tenía dificultades para aceptar su propia feminidad. Apegada a sus hijos varones, dependía demasiado de ellos. Olga también era un apoyo para su madre y nunca pudo contarle sus preocupaciones, ya que sabía que esto sobrepasaba su capacidad materna para resolver conflictos. Una madre infantil e inmadura y un padre arrogante, que se creía infalible y poderoso, promovieron en ella una mujer insegura en su lado femenino y prepotente en aquel otro con el que identificaba a su padre, que era la única forma de ser valorada en la familia. Así pues, se había identificado con un hombre que no aceptaba límites, que, como ahora su marido, escapaba de las responsabilidades paternas y la dejaba sola en la educación de la niña.

La libertad personal

No se puede ser libre si no se asume el deseo de lo que se quiere ser; si no hay un acuerdo entre lo que hacemos y lo que deseamos hacer; un pacto entre cómo somos y cómo queremos ser. La libertad se consigue cuando hemos construido una identidad adulta. No es una tarea fácil. Para llevarla a cabo, necesitamos dosis importantes de independencia.

Es preciso dejar de estar alienados en lo que los otros quieren o esperan de nosotras; aprender a decir no cuando la demanda externa nos perjudica; tener el valor de decir sí cuando sabemos lo que queremos, y arriesgarnos a llevarlo a cabo responsabilizándonos de los resultados.

Se alcanza la libertad personal cuando se superan las dependencias afectivas y psicológicas características de la infancia y de la adolescencia, es decir, cuando nos liberamos de fantasías y deseos infantiles cuya permanencia, una vez superadas esas edades, marcan la vida de forma negativa, transmitiéndonos la idea de que nos hemos equivocado en todo o proporcionándonos un grado de insatisfacción enfermizo y constante.

Estamos sometidos a deseos inconscientes. Solo si los conocemos y los hacemos propios podemos ejercer la libertad. En caso contrario, permaneceremos alienados en tareas que no nos gustan, con la sensación incómoda de no haber elegido y sin recursos para escapar de ese escenario hostil. Tal es la situación de quienes permanecen atados a unos conflictos de los que, por ser inconscientes, solo conocen sus efectos.

Ser independiente significa abandonar la dependencia infantil y el deseo de que otro nos solucione la vida. Significa también asumir la soledad inevitable a la que nos enfrentamos al hacernos cargo de nuestra existencia. Solo si dejamos de depender de otro de un modo infantil podemos acceder a la libertad personal. Se trata de una conquista difícil, pero sin marcha atrás, porque lo que se gana es demasiado valioso para perderlo.

El dinero

Tener una adecuada relación con el dinero implica en cierto modo poseer un buen equilibrio psíquico. Conseguirlo no es nada fácil. Tradicionalmente ha estado en manos de los hombres, aunque la mujer era la encargada de administrarlo en el ámbito de la economía familiar. En ocasiones, el marido entregaba al ama de casa una cantidad con la que ella tenía que organizar los gastos domésticos. Esta situación provocaba una dependencia que ponía a la mujer en desventaja, pues no era raro que algunos hombres utilizaran el poder económico para mantenerla bajo su control. Cuando la pareja se entiende como una relación de dominio del uno sobre el otro, se puede utilizar el dinero como un arma de poder.

Hace años, para que una mujer pudiera disponer de sus propiedades, tenía que contar con la autorización firmada de un hombre. ¿No supone eso una total negación de la capacidad de la mujer para administrar y ser propietaria de sus bienes y, en consecuencia, de sí misma? ¿No significa tratar a la mujer como una propiedad más del marido y privarla del dominio sobre su vida? Mientras ellos utilizaban el dinero para exhibirse, ellas lo administraban en ese reducto casi invisible y jamás reconocido sobre el que se levantan, sin embargo, todas las sociedades: el ámbito de lo doméstico. Hemos avanzado, pero dado que estas actitudes a las que nos venimos refiriendo son en la práctica de anteayer (de hoy, en muchos casos), es preciso tener en cuenta que todavía quedan tics ligados a esta concepción de las relaciones económicas y afectivas. Queda, en fin, mucho por hacer.

Si se concibe la pareja como la relación entre dos personas que desean intercambiar casi todo lo que tienen para vivir mejor, el dinero vendría a representar el aspecto material de dicho intercambio. Así como el sexo tiene su lado material, el dinero tiene su connotación sexual. Tradicionalmente, el dinero y la ambición por poseerlo están más asociados al hombre que a la mujer. Ha sido la incorporación de la mujer al mundo laboral, es decir, el hecho de poder manejar dinero propio, lo que la ha liberado de la dependencia económica que durante siglos la mantenía sometida al dominio del sexo masculino. Esto no quiere decir que el dinero sirva también, por sí solo, para liberar de otras dependencias afectivas cuyo modelo es el del dominio del uno sobre el otro, pero ayuda. Las mujeres que no dependen económicamente de su cónyuge aguantan menos una relación muy deteriorada porque tienen más autonomía y menos miedo a la separación. Un dato nuevo es que empieza a haber mujeres que ganan más que sus maridos, lo que a veces provoca problemas de pareja, ya que muchos hombres no soportan esta situación. Se sienten incómodos ante la posibilidad de que las mujeres ganen dinero, están dominados por el miedo de quedar a merced de las mujeres a las que sojuzgaron con su poder, pero, sobre todo, a quedar debilitados en su identidad masculina, a «no ser nadie», a no ser valorados ni amados. Son hombres inseguros que confunden lo que tienen con lo que son.

Gloria: pedir dinero a la pareja

Acaba de pedirle dinero a su marido, quien le responde: «¿Otra vez?, pero si te di ayer». «Ya no me queda», contesta. Él le pregunta entonces en qué se lo ha gastado, y Gloria no contesta porque quiere evitar una de las múltiples discusiones que tienen últimamente por culpa del dinero, ya que ella se siente controlada. Y, en efecto, así es. Gloria trabajaba en una galería de arte hasta que se quedó embarazada y optó por permanecer en casa para cuidar al bebé. Carlos, su marido, no estaba de acuerdo, pero aceptó la decisión. Han pasado dos años y Gloria se siente agotada por el cuidado del niño y molesta con su marido, porque siente que la quiere controlar a través del dinero y que no confía en ella. Antes, cuando trabajaba fuera de casa, todo estaba bien. Nunca supuso que Carlos pudiera comportarse así y ser tan tacaño. ¿Qué les ha pasado? Lo que ha ocurrido es que Gloria se ha volcado demasiado en su bebé para tratar de compensar una infancia en la que se sintió desamparada. Su marido está celoso y quiere sentirse tan necesario para ella como su hijo. Cree que mediante el dinero lo va a conseguir. En este caso, las discusiones que tienen por dinero esconden una identidad infantil poco madura y muy dependiente por parte de ambos. Las prácticas con el dinero dentro de la pareja reflejan las maneras de querer a otro y de quererse a uno mismo. Hablan también de cómo nos sentimos con nosotros mismos y del grado de autonomía que nos permitimos.

5
La madurez

La prudencia

La prudencia constituye un rasgo de carácter saludable, un rasgo que se aprende, lo mismo que el amor, y que señala un alto grado de madurez mental. Es prudente la persona que sabe esperar y que se da tiempo antes de responder o actuar frente a las provocaciones de la realidad. También lo es quien piensa en lo ya sucedido para elaborarlo psicológicamente. ¿Dónde se aprende esta virtud? ¿Por qué unas personas son prudentes y otras no?

Como casi todos los rasgos de carácter, también este se aprende dentro de la familia. Construimos nuestra identidad con la ayuda de nuestros padres, que nos enseñan, con su educación, a dominar los impulsos más primarios. La forma en la que nos hayan enseñado a controlar algunos de estos impulsos será determinante para que seamos más o menos prudentes. Y es que la prudencia es uno de los signos que delatan la fortaleza del «yo». Es la parte racional de ese «yo» la que nos aconseja ser sensatos y reflexivos cuando un exceso de emoción nos embarga.

La prudencia está íntimamente relacionada, pues, con la capacidad del «yo» para contener y elaborar psicológicamente los sentimientos. Esta capacidad tiene mucho que ver con la posibilidad de poner palabras a nuestras emociones, de reflexionar sobre ellas, de recabar datos sobre lo sucedido y sobre lo que le ocurre al otro. En definitiva, está asociada al pensamiento y este solo se puede transmitir en palabras, pero necesita un tiempo para expresarse, para organizarse y de esta forma dominar y controlar las emociones que provienen de nuestro inconsciente.

En algunas ocasiones, una actitud aparentemente prudente puede estar también escondiendo la incapacidad para hacerse cargo de lo que ocurre. Entonces se trata de una inhibición generalizada para elaborar los sentimientos.

Pilar: una duda sobre el amor

Pilar estaba bastante agobiada y dormía mal. Le atormentaba la idea de no acabar el trabajo para la fecha en la que se había comprometido a entregarlo. Y aunque lo terminara, como en ella era habitual, no le quedaría tan bien como lo hubiera hecho de haber tenido más tiempo. Quizá debería haber sido más prudente antes de aceptarlo, pero contestó que sí sin pensarlo. Lo peor es que no sabía por qué actuaba de ese modo. Lo lógico, pensaba ahora, habría sido que tomara un tiempo de reflexión para medir sus posibilidades y ver si contaba con los requisitos necesarios para que la tarea saliera bien.

Pilar había tenido una madre con poca capacidad para hacerse cargo de ella, por lo que abandonó su educación en manos de una hermana que no había tenido hijos. La tía de Pilar se afanaba en ser buena con la niña y la cuidaba bien, pero era muy exigente a la hora de relacionarse con ella, porque siempre le pedía resultados demasiado rápidos para una niña pequeña. La obligaba a comer demasiado deprisa, a vestirse a toda velocidad, a hacer las tareas escolares en poco tiempo... Tapaba sus inseguridades y su ansiedad pidiendo a la niña demasiado. En realidad, la trataba como si fuera un adulto, sin respetar los tiempos infantiles. No sabía, en fin, contener la inmadurez propia de una niña. Pilar había aprendido demasiado pronto que, para ser querida, tenía que responder de manera inmediata a las demandas de los otros. Nadie había respetado los tiempos que hubieran sido convenientes para su educación emocional. Y ahora no sabía ser prudente, no era capaz de tomarse un tiempo para pensar las propuestas que le hacían. De ese modo, reproducía el rasgo de impaciencia que caracterizaba a su tía, a quien quería, ya que la identificación es una forma de amor: se desea ser como la persona a quien se ama, más allá de que racionalmente nos convenga o no. El deseo de ser queridos mueve la mayoría de nuestros actos.

Quizá la falta de prudencia de Pilar para organizarse frente a las presiones externas se debía al deseo de constatar que, si respondía rápido, sería querida. Tras esta actitud ocultaba la duda que siempre tuvo, no sobre el amor de su tía, pero sí sobre el de su madre, que si bien no pudo hacerse cargo de ella, sí lo hizo de sus hermanos.

Aunque siempre conviene actuar con prudencia, hay situaciones en las que esta se debe extremar:

—Después de una separación de pareja, es preferible reflexionar sobre el porqué del fracaso y preguntarse sobre la participación de uno en la ruptura. No es prudente comenzar una nueva relación enseguida, porque elaborar lo que ha ocurrido necesita tiempo. Si no se realiza, se tienen muchas probabilidades de repetir el mismo error, ya que el modo de vinculación no cambia.

—Cuando los hijos adolescentes plantean enfrentamientos, es importante ser prudentes en nuestra respuesta. Hay que ponerles límites, pero también comprender que su actitud impulsiva proviene de un «yo» inseguro y del miedo a crecer cuando tienen todavía muchas incertidumbres por resolver. En esos momentos hay que escucharles y contener su angustia.

—Cuando estamos muy interesados en algo, ya sea un trabajo, un proyecto o un cambio de vida, es preciso proceder con cautela. Antes de actuar y comprometernos, conviene darnos tiempo para la reflexión. Sopesar los pros y los contras nos ayudará a medir mejor nuestras energías para la tarea encomendada.

—Cuando algo nos ha dolido y queremos dejar las cosas claras, resulta esencial actuar con sensatez. Eso significa reflexionar acerca de nuestra participación en los hechos, pues solo de ese modo seremos capaces de determinar las responsabilidades de los otros. Se habla de diferente forma cuando ha pasado un poco de tiempo, porque el impacto emocional ya se ha elaborado y no se está bajo la impresión del dolor que se ha sentido.

Las personas prudentes también saben meditar.

Saber meditar

La capacidad de meditar es exclusiva de los seres humanos; saber hacerlo garantiza poder disfrutar más de la vida. Gracias a esta capacidad, somos capaces de reflexionar sobre lo que nos ocurre. La mayoría de nuestros actos están organizados por asociaciones de pensamientos de las que en ocasiones no somos conscientes. Muchos de estos pensamientos los hemos incorporado como propios sin una reflexión previa. Sencillamente, los repetimos.

Meditar nos permite reflexionar sobre nuestra experiencia, aprender de los errores y modificarlos, enfrentarnos a nuestros vacíos internos sin angustias. Si no podemos reconocer nuestros límites, ni nuestras carencias, tampoco seremos capaces de meditar, pues ello implica el establecimiento de una relación con nuestro mundo interior. La falta de pensamiento sobre una misma conduce a actuar «a lo loco», como huyendo de algo de lo que no podemos escapar porque lo llevamos dentro. No podemos escapar de lo que tenemos en nuestro interior, es mejor conocerlo. Este conocimiento nos conduce a ser más humildes, pero también más libres y menos ignorantes. Hay personas que prefieren no saber, porque creen que es una forma de evitar padecimientos, pero la ignorancia y la falta de meditación sobre uno mismo siempre se paga con síntomas que hacen sufrir.

Meditar es mirar hacia dentro, encontrarnos con nosotros mismos y hacer balance de nuestro mundo emocional.

Cristina: un cuaderno para ser mejor

Cristina tenía la costumbre de apuntar en un cuaderno las ideas que le venían a la cabeza cuando se encontraba mal. Un día que su madre le repitió por centésima vez cómo se hacía la tarta de chocolate (aunque Cristina llevaba años haciéndola), pensó que iba a apuntar en un cuaderno cosas que no quería hacer cuando fuera mayor para no molestar a sus hijos. Quería hacer una relación de todo aquello que le molestaba de su madre y reflexionar sobre ello para no repetirlo, para ser diferente a ella. Así que comenzó una lista de lo que no haría. El primer punto decía: «No tratar a mi hija como si fuera una niña». Y es que algo que le molestaba seriamente era que su madre la siguiera protegiendo demasiado. Curiosamente, cuando Cristina comenzó a sentirse más fuerte en su papel de madre, esa característica de su progenitora dejó de molestarla, pues comprendió que era la manera en que su madre podía mimarla.

A continuación, se proponía no criticar la educación de sus nietos, lo que en la práctica significaba aceptar que su hija podía tener criterios pedagógicos distintos a los suyos.

Tampoco se metería en la relación de su hija con su marido.

No la ayudaría excepto en lo que le apeteciera hacerlo, pero sería capaz de pedir ayuda si la necesitaba.

No le reprocharía nunca que no se acordara de ella, y procuraría no chantajearla afectivamente.

Todas estas cuestiones y otras muchas se convirtieron en una reflexión sobre sí misma y sobre su vida. Curiosamente, comenzó la lista de aspectos de su madre que no quería repetir —y las reflexiones consecuentes— el día de su cumpleaños, cuando al mirarse al espejo percibió que se empezaba a parecer a ella. Esta especie de diario se convirtió en un refugio para meditar. Además, le ayudó a comprender más a su madre y, por supuesto, a sí misma. Cuando estaba a punto de discutir con su hija, releía lo que había apuntado de la última pelea y esto la frenaba. Se asombraba de la tendencia que tenía a repetir las mismas dificultades, pero cuando comenzaba a escribir también le servía para meditar y cambiar su relación con los que le rodeaban. No estaba dispuesta a gastar energías en discusiones con su hija, que casi siempre estaban relacionadas con aquellos aspectos que no había podido elaborar de la relación con su madre.

Había decidido que a partir de esta fecha todo sería mejor y para ello se había propuesto rescatar un tiempo todos los días, al menos quince minutos, para meditar. Había aprendido a escucharse a sí misma.

Saber escuchar

Saber escuchar está muy cerca de saber amar. Oír es una actividad innata, pero a escuchar se aprende. Hacer una confidencia es compartir algo íntimo y solo podemos compartir cuando sabemos quiénes somos y no tenemos miedo a nuestro mundo emocional. Cuando hemos comprendido a ser tolerantes tanto con nuestros fallos como con los ajenos.

Hay personas proclives a que otros les hagan confidencias. ¿Por qué? ¿Cuál es la clave para escuchar? Interesarse por el otro es fundamental para escucharle, pero lejos de sumergirse y confundirse con sus problemas, es necesario mantener una cierta distancia que permita a ese otro no sentirse invadido por opiniones y consejos.

Contar a alguien una intimidad no es un acto intrascendente, pues se descubren en él sentimientos, emociones, flaquezas.

El que sabe escuchar basa su relación con el otro en la igualdad y la reciprocidad, no se cree superior a quien le habla. Quien sabe escuchar, sabe escucharse.

Encontrar a alguien que sabe escuchar puede resultar muy saludable. No obstante, conviene saber a quién se hace una confidencia. Hay personas que pueden escuchar con la intención de manipular al otro, ejerciendo poder sobre él a través de la información recibida.

En ocasiones, dentro de la pareja aparecen dificultades en la comunicación. En tal caso, ambos tienen conflictos para escucharse.

La mujer busca un clima emocional donde expresar lo que siente sin ser censurada, donde nombrar sus sentimientos sin riesgos. El hombre, con frecuencia, se siente responsable de todo lo que ocurre a la mujer, se siente acusado y puede llegar a actuar de forma paternalista: comienza, por ejemplo, a dar soluciones que a la mujer no le sirven para nada. Entonces él se siente rechazado y no escucha. En este caso, le cuesta aceptar que la mujer es una igual a la que no hay que proteger, sino confiar en que ella encontrará la solución. No hay que dársela, hay que compartir su inquietud.

Gabriela: no hay mayor sordo que quien no quiere oír

No escucha quien quiere, sino quien puede. Esto pensaba Gabriela después de haber cortado la conversación que tenía con su pareja.

—No me escuchas nunca. Tienes orejas, pero no oídos —le había dicho.

—Pero bueno, si no hago otra cosa, porque cuando coges el carrete y te enrollas no hay quien te corte —le había contestado él, ofendido.

Gabriela había llegado del trabajo cansada y había contado algunas de las dificultades que tenía en él. Alberto enseguida había encontrado la solución y era que lo dejara. Gabriela se sentía culpable de haber ido a trabajar ese día porque su hijo pequeño estaba enfermo, y necesitaba no sentirse mala madre por haberse ido a trabajar. Lo último que quería oír era que podía dejar el trabajo; eso aumentaba su culpa, porque además le encantaba lo que hacía. Alberto, por su parte, siempre cree que cuando ella está enfadada tiene que calmarla inmediatamente porque se siente responsable del estado de ánimo de su mujer. La actitud paternalista y narcisista de él empeora las cosas. Gabriela quiere que la escuche, no que le diga lo que tiene que hacer; quiere que la comprenda, que no aumente su culpa por ir a trabajar y que la ayude a compartir el cuidado de los hijos. De esta forma ella rebajará el sentimiento de que abandona a su hijo y se sentirá aliviada. Quiere que la ayude como persona a hacer compatible todo lo que desea en la vida. Como hace él.

GUARDAR SECRETOS

Hay personas a las que los demás hacen confidencias, porque saben escuchar, y guardar el secreto. La capacidad para contener secretos ajenos, o para buscar a la persona adecuada que escuche los propios, proviene de un trabajo psicológico previo que desemboca en una subjetividad adulta y madura que no confunde lo propio con lo ajeno, que sabe discriminarse del otro y que ha incorporado una ética que no le permite atacar al otro en su intimidad, ni usar lo que sabe de él.

Quien no es capaz de guardar un secreto tampoco sabrá proteger su intimidad. Quien no respeta la vida del otro tampoco siente ningún respeto por la suya. La relación que mantenemos con los demás tiene mucho que ver con el vínculo que hemos organizado con nosotros mismos. Aprendemos a tener secretos cuando dejamos de depender en exceso de alguien (la madre, el padre, los hermanos). La decisión de no compartirlo todo es el primer rasgo de independencia que los niños y los adolescentes hacen para separarse de sus padres.

Los secretos pueden ser una carga y también pueden ser un tesoro. Pertenecen al ámbito de lo privado, de lo íntimo. Los adolescentes cuentan sus secretos a sus amigos; otros escriben diarios. Aquello de lo que hablan o de lo que se escriben casi siempre guarda relación con sus descubrimientos sexuales y con las relaciones afectivas. Temas sobre los que también giran los secretos de los adultos.

Hay personas que no pueden guardar secretos, que no saben contener las historias y vivencias que no les pertenecen. Estas personas se apropian de la vida de los demás porque la suya está vacía. Llenan con las intimidades de los otros los agujeros de su existencia. Carecen de un psiquismo maduro y de una identidad firme. Cuando alguien te cuenta un secreto, te hace partícipe de una intimidad que no te pertenece. Lo que te ha contado sigue siendo de él. Las intimidades se cuentan para descargarse de un peso, para liberarse de una opresión que no se sabe cómo llevar en soledad.

Claudia: correos con un desconocido

Claudia no podía soportar la idea de que él dejara de escribirla y le contó su secreto a su amiga Ana. Desde hacía unos meses, Claudia se escribía correos con un hombre por Internet. Se había acostumbrado a aquella comunicación y estaba convencida de que ya no podría vivir sin ella. Claudia, al igual que su amiga, estaba casada y tenía un hijo adolescente. Trabajaba como auxiliar en una empresa pública y su marido viajaba mucho. Ella se encontraba sola y se aburría. Cuando su marido trajo a casa un ordenador, no pensó que iba a ser tan importante en su vida. Un día se le ocurrió entrar en un *chat* y conoció a alguien que parecía especial. A partir de entonces, todos los días se enviaban un correo, aunque se escribían más cuando su marido estaba de viaje. Aquel día, al abrir el correo, no había ningún mensaje y Claudia empezó a inquietarse y a pensar que empezaba a depender demasiado de su amigo secreto. A la hora del café, en la oficina, le contó a su amiga lo que le ocurría. Ana escuchaba perpleja la relación secreta que Claudia mantenía con ese hombre. No le parecía bien lo que su amiga hacía. Conocía a su marido, al que consideraba un hombre atento. Cómo podía hacerle esto. Por supuesto, le dijo a su amiga que no se preocupara tanto, que aquello era una tontería y que quizá sería mejor que no volviera a escribirla. Claudia se quedó incómoda, pues no supuso que su amiga la regañaría como si fuera una madre. Lo primero que hizo Ana cuando llegó a su casa fue contarle a su marido el secreto de Claudia. Ana no era una buena amiga, no quería a Claudia porque la envidiaba demasiado y además también guardaba dentro de sí un secreto: le gustaba mucho el marido de su amiga. Cuando se descubrió que el amigo secreto de Claudia era su propio marido, que había organizado aquella argucia para recuperar a su mujer, porque pensaba que estaba perdiendo su amor, Ana cayó enferma. Hasta cierto punto la aventura de su amiga la liberaba de la culpa que tenía por sentirse tan atraída por su marido. Pero cuando descubrió que este seguía enamorado de Claudia, su secreto le estalló dentro de sí y enfermó.

Elaborar los duelos

Sin pasado no seríamos lo que somos; sin recuerdos no seríamos humanos. En la madurez de nuestras vidas tenemos que elaborar la pérdida de algunos de nuestros seres queridos, que se van pero que forman parte de nuestra historia; ellos nos hacen ver lo que perdimos, pero también lo que tenemos. Estamos hechos de vivencias compartidas. Nos formamos en relación a otro que nos cuida, que nos habla, que nos quiere y que nos proporciona la base sobre la que se levantará nuestra subjetividad.

Nos quedamos desamparados cuando los padres mueren. Si bien antes ya nos hemos llevado el golpe emocional de sufrir la muerte de los abuelos. Realizado el duelo, su recuerdo se incorpora a nuestra vida y ya siempre nos acompaña. Cuando hay dificultades para elaborar su pérdida, los sueños (mensajeros de deseos inconscientes) mantienen viva su imagen para que podamos seguir alimentándonos de lo que nos dieron.

En el transcurso del duelo, el «yo» se identifica con la imagen de la persona que ha fallecido, como una forma de expresar su amor.

La relación y el lugar que demos a nuestros seres queridos que han muerto tienen mucho que ver con el duelo que hallamos podido realizar. El duelo es el proceso psicológico que realiza una persona para asumir la muerte de alguien en quien tiene depositados afectos. No se pierde solo a la persona, sino también el lugar que se ocupaba para él. El duelo es un movimiento de alejamiento forzoso y doloroso de alguien a quien hemos amado y ya no está. Estamos obligados a separarnos del ser amado que hemos perdido en el exterior. Durante ese proceso, se produce la curación de una herida interna. El duelo finaliza cuando se acaba la lucha entre un amor que no cesa por el amado perdido y una fuerza que nos aleja de él.

El proceso de duelo evoluciona y se va resolviendo primero cuando se admite que el cuerpo ha desaparecido y nunca más se volverá a tocar, pero está vivo en nuestro pensamiento. Y así permanecerá en nuestra memoria mientras no perdamos la capacidad de recordar.

El trabajo normal del duelo coincide con un lento proceso de transformación. Primero, toda la energía psíquica es absorbida por las evocaciones del desaparecido, muy cargadas afectivamente, intensas y omnipresentes. La persona herida no puede pensar en nada más, ni interesarse por otra cosa, ni desear nada distinto. Luego, poco a poco, una pequeña parte de esa carga psíquica se libera, empieza a flotar un poco de energía que va en busca de algo distinto.

El proceso de desplazamiento de las cargas psíquicas llevará su tiempo, pero llega un momento en el que las ganas de vivir renacen y así la vida triunfa sobre la muerte. No es olvidar; es admitir. La imagen del ser perdido no debe borrarse, debe permanecer hasta el momento en que la persona, gracias al trabajo de duelo, consigue hacer coexistir el amor por el que ha muerto con los amores que tiene. Por eso recordar a nuestros muertos es la mejor manera de reconocer quiénes somos, qué nos han aportado, de qué nos han servido y qué hemos cambiado. Solo aceptando nuestro pasado podemos disfrutar de nuestro presente.

Beatriz: la belleza subsiste en el recuerdo

Beatriz colocaba las flores en la tumba de su madre y leía el poema que había hecho inscribir en la lápida. Decía así: «Aunque ya nada pueda devolvernos el esplendor en la hierba y la gloria en las flores, no debemos afligirnos, porque la belleza siempre perdura en el recuerdo». Era una poesía que su madre llevó durante años en su monedero. Tras la lectura, comenzó a adecentar la tumba mientras la tristeza se mezclaba con la alegría de haber tenido una madre como aquella, pues era una mujer que sabía sacar el lado positivo de la vida y que siempre le había animado a hacer lo que quería.

Beatriz se parecía en este rasgo de carácter, se había identificado con ella. Pocos días antes, había tenido un sueño con su madre, donde esta le decía algo que no pudo entender, y se despertó sobresaltada. El deseo de que siguiera viva aún era muy fuerte. La tarde anterior unas amigas le habían propuesto una excursión a una cima que se conoce como «La Mujer Muerta» y estas palabras promovieron su sueño. Inés todavía estaba elaborando el duelo por su madre que había muerto hacía poco tiempo.

En la madurez se enfrentan varios duelos, conviene que seamos capaces de reconocer lo que perdimos y aceptar nuestra historia emocional para encontrar el placer de madurar.

Se dice que a partir de cierta edad cada persona es responsable de su rostro, porque este refleja la historia vivida y revela si hemos sido o no capaces de llegar a un acuerdo con nosotros mismos.

Aceptarse, comprender a los padres, confiar en la capacidad para educar a los hijos. Haber llegado a un equilibrio entre lo que queremos ser y lo que somos, entre lo que esperaron de nosotros y lo que deseamos. Poder establecer relaciones interpersonales gratificantes con la pareja, dejar de quejarnos por lo que no tenemos para empezar a disfrutar de lo que nos rodea. Todo esto se puede realizar en la madurez.

La madurez es un periodo de la vida donde una necesita aceptarse a sí misma. Comienza casi siempre con una crisis y se recorre un camino donde se produce un cuestionamiento. Es habitual, por tanto, la aparición de un conflicto interno.

Hay preguntas convenientes que intentan situar a la persona en un nuevo lugar si no está contenta con lo conseguido. La experiencia le ayuda a cambiar para enfrentar el futuro, se hace balance de lo que se ha hecho, aparecen preguntas: ¿qué quiero de mi vida? ¿Qué he hecho hasta ahora?

Si sentimos la madurez como algo que nos quita posibilidades o juventud o fuerza o libertad, es que no hemos elaborado internamente las separaciones oportunas para ser adultas y hacernos cargo de lo que tenemos entre manos.

Alcanzar la madurez y disfrutar de ella es un placer porque en esta etapa de la vida, si todo ha ido bien, se ha alcanzado la autonomía, la independencia y la libertad.

Algunas de las consecuencias felices de madurar son una disminución del conflicto y de la culpa. La capacidad de relativizar y la posibilidad de ser más tolerantes con nosotras mismas y con nuestro cuerpo puede conducir a la mujer a vivir mejor su menopausia.

La menopausia: segunda adolescencia

En la menopausia, como en la adolescencia, la mujer atraviesa un proceso de transformación corporal y psicológica. La adolescencia está marcada por la aparición de la regla, que desaparece con la menopausia. Una y otra señalan respectivamente el principio y el final del periodo reproductivo. ¿Son comparables estos dos procesos? Creemos que sí, porque los dos colocan a la mujer ante una fase de renovación interna. El reloj biológico marca un antes y un después. Algo muere y algo nace.

En la adolescencia, la joven se despide de la niña que fue. Muere la infancia y se recibe la edad adulta, a veces demasiado pronto. Te dicen que «ya eres una mujer» cuando aún te sientes pequeña. En cualquier caso, la joven comienza a separarse activamente de los padres, a los que hasta entonces estuvo ligada.

En la menopausia la mujer dice adiós a la posibilidad de tener hijos. Su cuerpo se prepara para la vejez, quizá demasiado pronto también, cuando una se siente en plena forma, incluso joven. Tener ahora cuarenta y cinco o cincuenta años no es lo mismo que cuando los tuvieron nuestras abuelas. En cualquier caso, se sufre ahora la separación de los hijos, que empiezan a irse de casa. En la adolescencia hay que enfrentarse a lo que se quiere ser y a cómo se quiere vivir. En la menopausia hay que recoger los frutos de lo que se ha hecho y disfrutar de ello. Además también es posible recuperar aquello que dejamos aparcado por falta de tiempo y enriquecernos dedicándonos a lo que nos gusta.

Los síntomas físicos que sufrimos son provocados en su mayor parte por la disminución de las hormonas femeninas.

Estos cambios corporales se acompañan de otros psicológicos que varían en intensidad y que suelen ser: irritabilidad, depresión, nerviosismo, insomnio, disminución del deseo sexual, pérdida de memoria. Durarán más o menos según el grado de satisfacción que la mujer haya logrado tener en su vida.

Aquellas que están expuestas a más complicaciones son las mujeres con una vida sexual pobre, que les cuesta mucho adaptarse a los cambios y tienen un campo de intereses muy limitado. Al ver desintegrarse el mundo en el que llevaban a cabo sus actividades (por lo general un hogar que ahora se queda vacío porque los hijos se van de casa), se sienten inútiles y centran todo su interés en el cuerpo con una actitud algo hipocondríaca. Por el contrario, la mujer que siempre ha tenido intereses múltiples, renunciará más fácilmente a la capacidad de crear biológicamente, ya que es creativa en otros terrenos.

La forma en que cada una de nosotras vivimos la menopausia está determinada por nuestra historia individual y por la manera en que hemos vivido nuestra feminidad.

Además de ello, es muy importante la mirada que tiene la sociedad sobre la mujer madura.

Verónica: confesiones a un diario

Verónica escribe en su diario: «Hoy me desperté de madrugada con el cuerpo empapado en un sudor frío. Fue muy desagradable. Soñaba que me tapaban con una sábana que parecía un sudario. Me incorporé angustiada sobre la cama, y ya no pude dormir. Desde hace meses padezco insomnio. La semana próxima cumplo cuarenta y nueve años y no sé si me apetece celebrarlo. No me encuentro bien, estoy cansada y a veces lloro sin saber por qué.

»Siempre creí que a mí no me sucedería esto, que mi madurez sería estupenda, que no caería en los tópicos sobre la menopausia que nos hacen creer a las mujeres. En apariencia todo me va bien, tanto profesional como personalmente. Parece que domino mi vida, pero no es así. Últimamente es mi cuerpo quien me domina a mí. No tengo control sobre él. Se hace presente en el momento más inoportuno y cuando estoy con otros creo que todo el mundo va a ver mi piel empapada en sudor. Entonces saco el abanico para que me proporcione el aire que me falta y alivie el calor que siento. Mi cuerpo se ha puesto redondo, como si lo hubieran inflado, y la ropa que tenía no me queda bien.

»Me siento tan insegura como cuando era una adolescente. Entonces mi cuerpo cambiaba más rápidamente que yo. Ahora también. Espero ponerme de acuerdo con él, pues hemos pasado muchos años llevándonos estupendamente».

Segunda parte

INDICADORES DE SUFRIMIENTO

La angustia, la ansiedad, la prisa, el daño corporal, el conflicto excesivo en las relaciones amorosas, así como el sentimiento de culpa continuo, son algunos de los indicadores del sufrimiento psíquico.

Otras señales de este malestar son las obsesiones, los miedos que paralizan, las depresiones, el estrés, el insomnio o las adicciones. Algunos rasgos de carácter, como una sensibilidad extrema, el resentimiento o ser víctima de maltrato, conducen a dificultades en la relación con los otros y también son la expresión de conflictos internos. Estos conflictos rompen el equilibrio emocional que nos aportaría bienestar.

El sufrimiento psíquico se debe a causas complejas, de algunas de las cuales daremos cuenta en los capítulos que componen esta segunda parte.

6
Algunas señales de malestar

¿Por qué nos angustiamos?

La angustia es un malestar intenso, que proviene de nuestro interior y cuyo origen no sabemos determinar. Ataca de forma súbita o de una manera sorda, pero constante, y deja a la persona que la sufre agotada, ya que utiliza toda su energía para evitarla. ¿Por qué se produce?

La angustia es un afecto que se nos impone y que a veces sufrimos por motivos que desconocemos. Las crisis emocionales se producen sin el consentimiento de nuestro «yo», sin la participación de nuestra voluntad, porque nuestro psiquismo guarda en la oscuridad fantasías y sentimientos que pueden hacernos daño.

La angustia es un estado afectivo de gran malestar que en ocasiones va acompañado de un proceso de descarga corporal: llanto, taquicardia, sudoración... Se produce cuando una entrada masiva de excitaciones penetra en nuestro psiquismo y este, desbordado, no las puede controlar. Entonces, el miedo a perder la estabilidad necesaria para hacerse cargo de la vida se adueña de su víctima. La indefensión y la vulnerabilidad hacen acto de presencia en nuestro ánimo y comenzamos a sufrir. El miedo que aparece tras la angustia siempre está asociado a perder, a resultar dañado o herido en nuestra estima.

La angustia es, pues, el afecto que la persona siente ante un peligro indefinido que se cierne sobre ella, como una amenaza que no se puede precisar y que puede aparecer en cualquier momento.

Los hombres se angustian más cuando tienen miedo a perder su posición social, sobre todo cuando su trabajo está amenazado. Temen que no se les valore y por lo tanto temen no tener nada que ofrecer para ser queridos.

Las mujeres se angustian más ante la idea de que se las deje de querer o se las abandone. Aunque el miedo a no ser queridos se produce en los dos sexos, el hombre lo refiere más a lo que tiene y la mujer a lo que es.

Cuanto más conocimiento tengamos de nosotros mismos, pero sobre todo menos miedo a nuestras fragilidades, mejor podremos dominar la angustia, en caso de llegar a sentirla.

Eloísa: la cena de las mujeres

Eloísa cenó con unas amigas a las que hacía tiempo que no veía. Ocupadas con sus trabajos, hijos, y demás actividades cotidianas, habían conservado, sin embargo, la costumbre de reunirse para cenar cada cierto tiempo. Se referían a estos encuentros como «la cena de las mujeres». Una amiga habló de los conflictos que tenía con su pareja, pues se estaba separando y él le hacía la vida imposible. La conversación se centró entonces en los hombres y en su capacidad para hacer daño a las mujeres. Cuando acabaron, Eloísa comenzó a sentirse mal, le dolía el estomago, pensó que le había sentado mal lo que había cenado... Aunque se tomó un analgésico, no lograba dormir. Al poco de que llegara el sueño, volvió a despertarse con una extraña sensación de pánico, sudando en abundancia y con un fuerte dolor en la nuca. De golpe, le vino el pensamiento de que tenía algo malo en la cabeza, quizá un tumor, y se podía morir. La conversación con sus amigas, sin saber por qué, había despertado emociones antiguas.

Al día siguiente se levantó angustiada y fue al médico, que le prescribió una serie de pruebas para averiguar de dónde venían aquellos dolores. Los exámenes médicos confirmaron que su estado de salud era normal. Entonces el médico le recomendó un ansiolítico que calmó un poco su estado.

El ataque de angustia marcó un antes y un después en la vida de Eloísa. Su carácter cambió, no dejaba de pensar en su malestar. Las relaciones familiares la cansaban y vivía con el temor de que ese malestar insoportable volviera de nuevo. Por fortuna, los ansiolíticos parecían frenar el ataque.

Al cabo de un mes coincidió con una de sus amigas, en la que confiaba mucho porque sabía escuchar, y le contó lo que le pasaba. Su amiga la sugirió una psicoterapia que a ella le había ido bien para resolver una depresión. Eloísa acudió al mismo profesional y en la segunda entrevista acabó hablando de la muerte de su padre, que había ocurrido tres años antes. Recordó que había vivido este suceso aparentemente con poca tristeza, ya que Eloísa tenía una relación bastante mala con él. Cuando la psicoanalista le preguntó de qué había muerto, respondió:

—De un tumor cerebral, comenzó con mareos y fuertes dolores en la nuca. Cuando se lo descubrieron era muy tarde. Murió en dos meses... Pero bueno, esto no tiene ninguna relación con lo que me pasa a mí.

En las siguientes sesiones de psicoterapia se extendió sobre la mala relación con su padre y, de este modo, reflexionando acerca de cómo se repetían sus problemas tanto en las relaciones familiares como amorosas, la angustia empezó a remitir. Poco a poco, según fue elaborando su historia emocional, Eloísa fue dominando la situación que tenía en relación a los hombres.

Cómo liberarse de la angustia

Algunas situaciones vitales promueven la angustia porque son acontecimientos dolorosos que se tarda en elaborar psíquicamente. En estos casos, escuchar esa angustia, reconocerla y reflexionar sobre ella, demuestra más salud mental que negarla o anestesiar el dolor. La angustia negada saldrá en un momento u otro, a través del cuerpo, por ejemplo, en forma de somatización. El acontecimiento exterior que con más frecuencia produce angustia es la pérdida de un ser querido, durante la elaboración del duelo. También las separaciones amorosas o la incertidumbre ante una intervención médica constituyen ocasiones para la aparición de este afecto.

Es necesario poner palabras a lo que se siente porque se trata de un estado difícil de definir. Es precisamente esta dificultad de nombrar lo que ocurre lo que provoca que se limite mucho la vida de aquellos que la padecen.

La angustia es uno de los afectos que más llena las urgencias de los hospitales. Antes de vacaciones, por ejemplo, y en Navidad, la afluencia de personas aumenta en los centros sanitarios. El motivo es la angustia al abandono por parte de los ancianos y el resurgir de enfrentamientos familiares por parte de los adultos.

Hablar de lo que sentimos a un interlocutor que nos escucha calma la angustia. Cuando se hace crónica, conviene acudir a un tratamiento psicoterapéutico para comprender los motivos de esa señal que nos envía la mente.

Los psicofármacos alivian momentáneamente el problema, pero no resuelven la situación. Cuando la angustia no corresponde a ningún acontecimiento presente y creemos que no tenemos ninguna razón para estar así, es que hemos sido atrapados por algo de nuestro pasado que no ha sido resuelto. Investigar sobre ello en un tratamiento psicoterapéutico hará que la angustia desaparezca y, sobre todo, que nuestra vida mejore y dejemos de sentirla como una carga difícil de soportar.

Tipos de angustia

Hay distintos tipos de angustia, pero en todos los casos se trata de un aviso ante un conflicto que nuestro «yo» tiene que enfrentar y ante el cual nos sentimos vulnerables. Siempre conviene escucharla, y no negarla, pues forma parte del sistema de señales con el que nuestro psiquismo nos avisa de que algo no funciona como debiera. Si la enfrentamos, averiguaremos más cosas acerca de nosotros mismos. Los tipos de angustia más comunes son:

—Angustia real: se siente frente a la percepción de un peligro exterior. Por ejemplo, una catástrofe que amenaza nuestro bienestar. Es racional y comprensible, y nos ayuda a poner los medios necesarios para evitar daños mayores. Cuando es excesiva, nos paraliza. Podemos dominarla si tenemos confianza en nuestros recursos internos.

—Angustia neurótica: se da frente a lo que pensamos de nosotros mismos. La amenaza, en este caso, proviene de nuestro mundo interior. Si nos invade un impulso que nuestra moral rechaza, se establece una lucha interna para que este impulso no llegue a ser consciente.

La ansiedad

La ansiedad es un estado de alerta de la mente y del cuerpo ante un temor impreciso. En las situaciones de ansiedad la vida nos atropella: más que vivirla nos vive; el estrés nos devora y carecemos de capacidad para afrontar las situaciones diarias con comodidad.

Además de un malestar difuso, cuando la ansiedad es muy intensa, aparecen síntomas físicos como palpitaciones, respiración rápida, escalofríos, náuseas, dolor en el pecho y un nudo en el estómago. Los motivos que provocan tal sintomatología son irracionales y desproporcionados porque son inconscientes. El término «ansiedad» está de moda porque describe un síntoma social de nuestros días. La ansiedad se puede padecer en diferentes grados, pero conviene saber que, cuando es muy alto, constituye la antesala de la angustia, que remite siempre a un sufrimiento psíquico cuyo origen suele estar localizado en los primeros años de nuestra vida. El psicólogo John Bowlby explicaba el origen de la ansiedad como la respuesta que el niño pequeño da ante la ausencia de la figura materna o del adulto que lo cuide. Mientras el adulto está cerca, el niño puede arriesgarse a experimentar. Va poco a poco conquistando el mundo y cuando tiene algún tropiezo, pregunta cómo seguir adelante. Si el adulto le responde y le alienta a continuar, intentará resolver la situación y sentirá que va dominando lo que le rodea. Pero puede suceder que la persona de la que depende esté llena de angustia o de problemas sin resolver y que, en lugar de fomentar la independencia del pequeño, se angustie cuando el niño se aleja, pensando que le va a pasar algo malo.

En realidad, el adulto se apoya en el pequeño, que pasa a ser el apoyo de quien debería protegerle porque percibe que es lo que tiene que hacer para sentirse querido. No hay ansiedad mayor que la que produce el miedo a perder el amor de las figuras de las que depende nuestra vida.

Francis: el ayer pasa factura

Francis se encuentra muy nerviosa. La ansiedad le ha hecho tomarse el desayuno en tres minutos y ahora le duele el estómago. Daría lo que fuese por quedarse en casa. Esta tarde ha quedado con Juan para ir a ver un piso, pues han decidido vivir juntos. Desde entonces, ella siente una inquietud inexplicable y comienza a preguntarse qué le está pasando.

Tiene veintiséis años y siempre aparentó ser una chica decidida. Es la pequeña de tres hermanos y trabaja como auxiliar en un hospital.

Cuando nació, su padre estaba al borde de la ruina y su madre, muy angustiada, no pudo evitar transmitirle su inseguridad. Cada vez que Francis se aventuraba a separarse de su madre, esta se angustiaba y la agobiaba con sus fantasías sobre lo que podía pasarle si se alejaba de ella. Compensó su sentimiento de que el mundo es un lugar peligroso con un espíritu fuerte y aventurero. Pero ahora, que ha decidido separarse de su familia, parece que la niña que fue se hace presente y le mete miedo.

La responsabilidad paterna en este tipo de síntomas es importante, pero que los padres sean responsables no quiere decir que sean culpables, porque no pudieron hacer otra cosa y, probablemente, ellos también lo pasaron mal. La dificultad para la recuperación estriba en que muchas personas prefieren no ver los orígenes infantiles de su angustia para protegerse de sufrimientos y para proteger a sus padres del resentimiento que podrían sentir. Esto es un error, pues los sentimientos inconscientes pasan factura.

Cuando uno opta por ser honesto consigo mismo, también acaba siéndolo con sus padres y no deja de quererlos por reconocer sus defectos. Cuanto más endebles seamos por dentro, más intentaremos aparentar lo contrario. Nos costará defender nuestros deseos y seremos más vulnerables al estrés y la ansiedad, que a veces sirve para evitar pensar quiénes somos, de dónde venimos y adónde queremos llegar.

ENFERMAS DE PRISA

La enfermedad de la prisa aparece cuando queremos hacer un gran número de tareas en el menor tiempo posible. Enredadas en múltiples tareas, acabamos agotadas y pasando rápidamente por lo que hacemos, sin disfrutarlo, sin saborearlo, sin hacerlo nuestro. Con frecuencia acabamos pensando en lo que tenemos que hacer antes de acabar la tarea anterior. Pero ya no pensamos en lo que queremos hacer y tampoco en por qué hacemos lo que hacemos.

Queremos dominar el tiempo, llenarlo de actividades, y pasamos a ser dominadas por una ansiedad difusa e incómoda, que no sabemos cómo se ha llegado a instalar en nuestra vida.

Algunos actos anuncian la posible enfermedad: no ser capaz de esperar en una cola, apretar en un ascensor varias veces el botón del piso al que vamos, terminar las frases del otro porque nos parece que tarda en expresarse, que nos pongan nerviosas los niños o los ancianos, porque su ritmo es más lento que el nuestro... Cuando la enfermedad se instala, el agotamiento y el estrés se han apoderado de nosotras.

¿Adónde vamos tan deprisa? ¿Adónde queremos llegar? ¿Qué intentamos ocultar tras esa velocidad de vértigo? ¿Hacia dónde corremos?

Creemos que dominamos nuestro tiempo, pero en realidad estamos dominados por una urgencia interior que actúa sin consentimiento de nuestro yo.

La prisa interna y subjetiva no responde solo a una presión externa; también es un intento de huir de una presión interna que no somos capaces de reconocer.

Los conflictos emocionales, la incapacidad para asumir nuestras carencias, de mirar hacia dentro de enfrentarnos a nuestros deseos y conflictos hace que deseemos no pensar, que deseemos no pararnos para asumir lo que no tenemos y lo que no podemos. Tras la enfermedad de la prisa se oculta la fantasía infantil de que somos omnipotentes.

Se puede estar tapando la necesidad desesperada de que nos quieran, porque no nos creemos merecedores de amor si tenemos limitaciones, porque no nos aceptamos como somos. La prisa que parece empujarnos hacia delante puede estar provocada por la necesidad de huir de nosotros mismos.

Carmen: «el que mucho abarca poco aprieta»

«El que mucho abarca poco aprieta», se decía Carmen recordando las palabras de su abuela. Se encontraba dentro del coche, detenida en el arcén de la carretera, con un nudo en el estómago, mientras se le pasaba el susto.

Se había saltado sin querer un ceda el paso, y un coche le había pasado rozando. La señal de las llantas sobre el asfalto eran testigos del frenazo que había tenido que dar el otro conductor para evitarla.

—No lo he visto; perdone, lo siento —se disculpó Carmen ante los gritos de su víctima.

—Pues hay que mirar, podríamos habernos matado. ¿En qué iba pensando?

Esa era la pregunta clave. Carmen tenía la cabeza llena de cosas. Llevaba en el casete una cinta, pues iba estudiando inglés, pero estaba también preocupada porque le habían llamado del colegio de su hijo el día anterior. Querían hablar con ella, no le habían dicho nada más. Salió del trabajo a tanta velocidad que chocó con el cristal de una puerta que creía abierta.

Se pasaba el día corriendo, a veces tenía la sensación que ni de noche paraba el ritmo. El amor se hacia deprisa, sin tiempo, incluso dormía pensando que tenía que aprovecharlo porque estaba muy cansada. Allí, en el arcén de la carretera, después de haber puesto su vida y la de los demás en peligro, pensó que estaba enferma. La prisa con la que vivía era el síntoma de que hacía mucho que había dejado de controlar su vida. Estaba dominada por lo que «hay que hacer». Respondía a todo lo que le pedían, lo cual iba alienándola cada día más. Quería cambiar. Tenía que dar un frenazo a su prisa interna, hacer una reflexión sobre sus prioridades, sobre sus deseos, sobre sí misma.

Saber esperar y tiempo interno

Saber esperar significa haber aprendido que las cuestiones importantes requieren tiempo. Significa también saber vivir la sexualidad femenina, más lenta en su preparación que la masculina. La prisa no combina con la feminidad.

Las mujeres somos particularmente sensibles a la vida apresurada, porque nos hacemos cargo de multitud de tareas que nos ocupan tiempo mental y tiempo material. No obstante, algunas se habitúan tanto al estrés que lo acaban asumiendo como parte de la vida normal.

La prisa tiene relación con una negación de las tensiones físicas y emocionales que se producen cuando no podemos organizar un equilibrio entre lo que tenemos que hacer y lo que queremos hacer, entre cómo somos y cómo queremos ser.

Defender nuestro tiempo interno, un tiempo dedicado a reconocer nuestros deseos, nuestras imposibilidades, nuestras contradicciones y nuestros placeres, constituye la mejor manera de no caer bajo el tren de la prisa.

Sufrir por amor

El desamor a uno mismo es lo que más hace sufrir en las relaciones afectivas. Cuando la pareja se convierte en una fuente de sufrimiento y solo nos hace daño, es que no se ha podido elegir bien. Conviene que seamos responsables de nuestras elecciones. «Responsabilidad» no quiere decir «culpabilidad». No somos culpables de que nuestro mundo emocional se encuentre en mal estado, pues en el amor solemos ser víctimas de impulsos desconocidos.

En ocasiones sufrimos mucho en una relación afectiva porque trasladamos a ese vínculo interpersonal una mala relación con nosotras mismas. Fantasmas inconscientes que ocultan las claves de nuestra vida afectiva se ponen en marcha para que un «amor» nos haga sufrir. Pero más que amor, insistimos, es dependencia, adicción. Nuestros impulsos nos conducen a una escena sadomasoquista en la que el que sufre parece la víctima de otro, cuando sobre todo es víctima de sí mismo. En estos casos, ese otro que hace sufrir tanto es la coartada para no enfrentarnos con nuestra realidad interior. Preferimos que el malo sea el otro antes que enfrentarnos a la capacidad que también tenemos para hacernos daño.

Son nuestros impulsos más desconocidos los que nos empujan hacia la elección de una u otra pareja; hacerlos conscientes sería una forma de poderlos dominar. La última razón de lo que nos ocurre siempre está dentro de nosotras. Al dejar de sufrir, uno puede enfrentarse a su propia verdad y será más capaz de elegir aquello que le haga sentir mejor.

Elena: mal de amores

—¿Por qué no cortas con él —pregunta Ángela a su amiga Elena—, si te deja sola cuando más le necesitas?

—No lo sé —contesta Elena—; lo he intentado muchas veces, pero no puedo. Le quiero tanto...

Este argumento es una trampa. Elena tiene treinta y cinco años y una pareja que está casado con otra. La engañó desde el principio, diciendo que era muy desgraciado y que estaba a punto de divorciarse, cuando en realidad nunca se lo había planteado seriamente. Elena tuvo una experiencia anterior muy parecida: su novio se casó con otra y después quiso volver con ella, pero Elena decidió que no. Sin embargo, no pudo evitar el repetir con otro hombre que también estaba casado.

Elena llama «amor» a una necesidad imperiosa que siente cuando él la telefonea. Entonces, algo se nubla en su interior y desde que oye su voz ya solo quiere estar con él. Acepta todo lo que le dice, aunque sabe que miente. Elena se vuelve ciega, en fin. Luego sufre cuando la deja sola en vacaciones asegurándole que esa será la última vez porque piensa contárselo a su mujer.

Los padres de Elena eran la pareja perfecta: se querían mucho, se apoyaban en todo y siempre estaban juntos. Sin embargo, este panorama afectivo no le aportó a Elena lo que necesitaba: más bien la llenó de desamparo, pues su padre no tuvo nunca ojos para ella ni para su hermano, pendiente como estaba siempre de los deseos de su mujer. En realidad, parecía un niño que necesita tener a mamá orgullosa de él. Por eso descuidó la relación con sus hijos. Elena culpaba a su madre de lo que ocurría y sentía hostilidad hacía ella por acaparar de esa manera a su padre. Aunque Elena no era consciente de todo esto, algo la llevaba a elegir hombres que también estaban con otras mujeres repitiendo un círculo vicioso emocional del que no podía escapar. En el fondo, creía que no merecía ser querida por un hombre, puesto que el primero de su vida, su padre, no la quiso como ella pretendía. Por otro lado, sin saberlo, sentía rabia hacia su madre que le quitaba el amor de su padre y este sentimiento hacia su madre le hacía sentirse tan culpable que no le permitía identificarse con ella para ocupar un lugar importante en el corazón de algún hombre. Así pues, la necesidad que Elena tiene de su pareja está más basada en una dependencia patológica, provocada por fantasías inconscientes, que en una relación de amor.

La disconformidad que mantenemos con nosotros mismos, precisamente porque somos limitados e imperfectos, se elimina cuando nos sentimos amados. Quien se siente seguro del afecto de otros consigue mayor grado de autoestima. Esta afirmación de sí mismo le otorga valor y se atreve a amar. Para poder amar es preciso tener cierta confianza en lo que uno es, saber quién se es y cómo se quiere llegar a ser. Una persona que nunca fue amada tendrá muchas dificultades para amar.

La escuela en la que recibimos las primeras e imborrables lecciones para amar a otro fue nuestra familia, nos transmiten los modelos que nos servirán para relacionarnos con otro. Si en el código afectivo de nuestra infancia se confundía el amor con el sufrimiento o la dependencia con la sumisión, hay que atreverse a crear nuevas formas de relacionarse. No es una tarea fácil, si tenemos esos estereotipos, pero siempre disponemos de un margen para hacer nuestras propias elecciones.

Impulsos autodestructivos

Las primeras vivencias de la existencia quedan grabadas en nuestro inconsciente con una fuerza especial, tanto si son agradables como si son tristes o violentas. Estas últimas, cuando se producen antes de que la mente esté preparada para procesarlas, dejan una cantidad de energía estancada, asociada a una escena similar, y tienden a repetirse. Esto es una tendencia general de nuestro psiquismo y sucede con la intención de que la siguiente vez se pueda dominar mejor. «El hombre es el único animal que tropieza dos veces en la misma piedra», dice el refrán, y así es.

Los impulsos autodestructivos tienen relación con sentimientos de culpa, que a su vez se producen cuando guardamos de nosotros una imagen infantil y, por lo tanto, omnipotente. Los niños se creen siempre responsables de todo lo que pasa a su alrededor, de todo lo que sus padres hacen o dejan de hacer. Tratan por todos los medios de salvar la imagen de sus progenitores y, en ocasiones, se echan la culpa de las dificultades de estos.

Antes de enfrentarse al dolor y al desamparo que producen unos padres que no apoyan a un hijo en las necesidades afectivas fundamentales, algunas personas pueden identificarse con la ineptitud paterna o materna y reproducir así en sus vidas el poco cariño que pusieron sobre ellas en su infancia.

Alguien que se autodestruye ofrece esa masacre de su persona a un otro que no le trató con el cariño suficiente para que interiorizara dentro de sí una instancia capaz de quererle y cuidarle.

Algunas características psicológicas aumentan la posibilidad de caer en actitudes autodestructivas:

—La poca capacidad para quererse se convierte en un castigo cuando la persona no se cree merecedora de estima: está identificada con alguien que no tiene valor.

—Las dificultades para expresar la agresividad o cualquier tipo de malestar de forma adecuada hacen que esa rabia se nos quede dentro y, dirigida contra nosotros mismos, nos haga daño. El miedo a expresar los afectos desagradables suele estar asociado a la fantasía de que nuestra fuerza destructiva es inmensa.

—Una necesidad exagerada de aprobación y reconocimiento provoca una dependencia excesiva del otro. Cuando no recibimos su aprobación, nuestro resentimiento es fuerte y lo volcamos contra nosotros para no atacar a aquel del que tanto dependemos.

—Falta de madurez psicológica: los impulsos autodestructivos tienen su mayor caldo de cultivo en personas intolerantes y rígidas o en aquellas que no pueden poner límites a sus impulsos. A disfrutar también se aprende. Tal vez la educación que han recibido estas personas ha estado cargada de mensajes sádicos y contradictorios, donde la excitación estaba asociada siempre al castigo o al sufrimiento.

Anestesia para el corazón

Cuando una persona se daña repetidamente en su cuerpo, es probable que esté empujada por un impulso cuyo objetivo es anular una voz interna que le produce dolor. El dolor físico se alivia con medicación; el psicológico es menos dominable, porque necesita una elaboración mental. El cuerpo puede metaforizar y gritar algo que el psiquismo no puede elaborar.

Esta tendencia a dañarse, que muchas veces se atribuye a la mala suerte, deja al descubierto parte de nuestra vida inconsciente que no podemos dominar: por el contrario, somos dominados por ella. En todas estas acciones, la persona se autocastiga: su «yo» no tiene la suficiente fuerza para protegerse y defenderse de aquello que le hace daño. La necesidad de saldar cuentas con el pasado no le permite disfrutar del presente. Puede tratarse de no haber elaborado un duelo, de no haber podido aceptar una separación amorosa, o cualquier acontecimiento afectivo que no ha podido superar.

Cuando una persona se daña, lo hace, por supuesto, sin darse cuenta de ello y, por lo general, para aliviar alguna culpa. Culpas que, con frecuencia, se refieren a fantasías que nunca se realizaron, pero que permanecen vigentes en nuestro inconsciente.

Antes de enfrentarnos al dolor y al desamparo de algunas situaciones en las que nos coloca la vida, se puede preferir concentrar ese dolor en el cuerpo. Ahora bien, esto sucede cuando la elaboración psicológica de la historia afectiva es insuficiente. Entonces, el cuerpo se hace eco de las emociones que no pudieron ser nombradas. Cuanto mayor conocimiento tengamos de cómo funciona nuestro psiquismo, más tolerantes seremos con nuestras carencias y esto nos hará sufrir menos, pues también dejaremos de castigarnos tanto por lo que no pudo ser, por lo que dejamos de hacer, por lo que dejamos de decir y, sobre todo, porque sabremos cómo podemos reparar, en la medida de lo posible, las heridas afectivas de nuestra historia.

Eva: el mes de abril

En la radio hablaban del mes de abril y de la llegada de la primavera. Eva, sin darse cuenta, comenzó a cantar una canción de Joaquín Sabina que le gustaba mucho: «Quién me ha robado el mes de abril, cómo pudo sucederme a mí...». Estaba repitiendo el estribillo de la canción cuando, en un movimiento automático, apoyó la plancha con la que estaba repasando unos vaqueros en su mano izquierda, y no en los pantalones. Inmediatamente, puso la quemadura bajo el grifo, para aliviar el dolor. Después fue al botiquín y sacó una pomada para las quemaduras que en su casa habían utilizado toda la vida y que se llamaba Avril. Al ver el nombre de la pomada volvió a cantar la canción. Luego, mientras se la aplicaba, se puso a llorar. Trataba a su mano izquierda como quien intenta curar a un pájaro a punto de morir.

Eva había realizado un psicoanálisis que le había hecho salir de una fuerte depresión y abrirse a la vida sin miedo después de haber construido un interior más equilibrado y menos conflictivo. Gracias a ese proceso, pensaba que también había llevado mejor la muerte de su madre y tenía recursos para entender cómo funcionaba su cabeza y, sobre todo, su corazón. Por eso se preguntaba ahora: «¿Por qué me he hecho daño en esta mano tantas veces en los últimos tiempos?». Y es que, en efecto, hacía dos meses se había caído y se había dañado la muñeca. La semana pasada se había pillado un dedo con la puerta de un armario. Y ahora esto. No tardó en entender que el daño que se había hecho en la mano era una forma de anestesiar el dolor que aún tenía en su corazón.

El año pasado, durante el mes de abril, murió su madre en un accidente de coche. A Eva solo le dio tiempo a correr al hospital y darle la mano mientras expiraba. No se pudo despedir de ella, no hubo palabras, solo un ligerísimo apretón de manos. Eva enseguida comprendió que el dolor de su mano era una forma de anestesia para el dolor que tenía en su corazón. Quizá se sentía aún culpable de no haber hecho por su madre todo lo que estaba en su «mano» y de esta forma se castigaba.

El sentimiento inconsciente de culpa es responsable de muchos de nuestros sufrimientos.

La culpa

Algunas personas se culpan de todo lo que ocurre a su alrededor; otras, en cambio, no reconocen ni los errores propios. En las dos actitudes hay conflictos psicológicos. Las primeras se hacen daño a sí mismas; las segundas se lo hacen a los demás.

La culpa, los deseos y la valoración que se tiene de uno mismo se encuentran relacionados.

El sentimiento de culpa ante una acción o un pensamiento dirigidos en contra de otro está provocado por el deseo que dicha acción o pensamiento implicaban. Deseábamos, por ejemplo, superar a alguien, hacerle desaparecer, quitarle algo suyo, usurpar su lugar... Tales anhelos son normales durante los primeros años de la vida, porque carecemos de recursos para diferenciarnos del otro. Por eso se rivaliza con el hermano, con el padre o con la madre, deseando con frecuencia los lugares que ocupan. Crecer significa asumir responsabilidades y carencias tanto en uno mismo como en los demás, pero significa, sobre todo, interiorizar una ética que nos impide hacer daño a un semejante o a repararlo si no lo hemos podido evitar.

Todos somos culpables de acciones que nos hubiera gustado no llevar a cabo; de errores que deberíamos haber evitado; de pensamientos que hubiéramos preferido no tener. Pero cuando esos actos se impusieron más allá de nuestra voluntad somos también, en alguna medida, inocentes. En cualquier caso, es en tales ocasiones cuando se hace necesario el reconocimiento y la reparación. Si quien nos ha herido no asume la culpa, las relaciones se empañan porque entra en ellas la desconfianza

Nos podemos reprochar acciones u omisiones. Y lo que peor nos sienta es no haber sido capaces de expresar lo que deseábamos. Nos sentimos culpables, en definitiva, de no haber actuado según nuestro criterio, quizá también de no haber estado a la altura de las circunstancias, o de haber parecido mezquinos o crueles. En esos momentos la culpa altera el equilibrio emocional necesario para encontrarnos bien y sentimos menosprecio por nosotros mismos como una forma de castigo por haber actuado de esa forma.

El sentimiento de culpa es patológico cuando nos martiriza sin descanso. En su justa medida, sin embargo, responde a un saludable mecanismo psicológico que nos hace responsables de nuestras acciones. ¿Cuál es su origen y su función? ¿Por qué algunas personas se sienten culpables más allá de lo razonable? ¿Cómo nos liberamos del sentimiento de culpa?

Su origen se encuentra en los primeros años de nuestra vida y procede de los que nos rodean. Los padres ejercen una presión educativa y los pequeños responden a ella porque tienen miedo a perder el amor de sus progenitores. Más tarde, estas normas son incorporadas a una instancia propia desde la que nos amenazan si no cumplimos con el sistema de valores que hemos aceptado como propio.

La función que tiene el sentimiento de culpa, cuando actúa de forma razonable, es la de proteger el progreso y la cultura. Por eso se encuentra en la base de la moralidad del ser humano. Si no funcionara en absoluto, nos dejaríamos llevar por nuestros impulsos primarios. Según Freud, el hombre intenta satisfacer sus impulsos reduciendo al mínimo el sentimiento de culpa. Con tal de evitar ese malestar interior, nos sometemos a normas morales y dominamos los impulsos agresivos que harían imposible la vida social. Para el creador del psicoanálisis, «el hombre no solo es más inmoral de lo que cree, sino también mucho más moral de lo que supone».

Cuando nos sentimos mal por haber hecho algo que consideramos improcedente, y luego tenemos la posibilidad de repararlo, nos embarga un alivio cuya causa no es otra que la desaparición de la culpa. Ahora bien, hay personas que dan la impresión de no poder vivir sin sentirse culpables, de manera que le dan mil vueltas a todo o exageran cualquier cosa que hacen para estar en permanente desacuerdo consigo mismas.

Este sentimiento es dañino. Pero, ¿por qué ocurre? ¿Por qué hay gente que no puede vivir sin autorreproches y recriminaciones constantes? Este malestar con uno mismo se debe a que parte del sentimiento de culpa del que estamos hablando es inconsciente y, en los casos patológicos, se alimenta de cualquier motivo, por pequeño que sea, para martirizar al «yo».

Una educación excesivamente rígida, basada en amenazas continuas, o una educación demasiado permisiva, en la que los límites no estén claros, alimentan este sentimiento, que también se da en su forma patológica cuando las relaciones entre padres e hijos están basadas en el chantaje afectivo.

Manuela: la herida que no cicatriza

Manuela prepara las maletas para pasar unos días de vacaciones con su pareja. Quiere recuperar un poco del placer perdido por culpa de la rutina y del trabajo. Pero en ese momento su hermano le dice por teléfono que su madre se ha caído en el baño y hay que llevarla a urgencias, donde le escayolan la pierna, pues se ha roto el fémur, y la envían de nuevo a casa.

Manuela empieza a preguntarse si debería aplazar sus vacaciones. Se siente muy culpable de irse, aunque su presencia no es necesaria, pues su padre y su hermano pueden ayudar a su madre. Su sentimiento de culpa proviene de un idea inconsciente que funciona con una eficacia asombrosa: cuando era pequeña, su madre enfermó al poco de nacer ella, lo que provocó una separación prematura entre madre e hija de la que Manuela, que era la víctima, siempre se sintió culpable, ya que su fantasía infantil le dio la vuelta a la historia para soportar una realidad afectiva insufrible para una niña tan pequeña. Reprimió, en fin, los sentimientos agresivos que le produjo la separación dirigiéndolos contra sí misma en lugar de dirigirlos contra su madre, que le hizo sentirse abandonada. Se siente culpable de desaparecer unos días con su pareja porque la situación actual funciona en su inconsciente como una reedición de aquella otra que marcó su vida. El sentimiento de culpa puede enlazarse a determinadas fantasías que organizamos en nuestro psiquismo para explicarnos la historia sentimental que hemos vivido. En el caso de Manuela se trataba de la fantasía en la que ella había sido la responsable del daño que había sufrido su madre siendo niña; toda su vida se condujo como si lo fuera, por eso ahora, cuando su madre tiene un accidente, reproduce ese drama fantaseado y se siente culpable. La herida afectiva por el abandono que ella había sentido no había cicatrizado. La culpa esconde deseos agresivos poco soportables para nuestra conciencia. Reconocerlos nos hace ser más tolerantes y menos exigentes con nosotros.

Un látigo interno

La culpa puede llegar a funcionar como un verdadero látigo que, desde nuestro interior, nos haga la vida insoportable. Cuando el equilibrio psicológico es precario, se suele proyectar sobre los otros la culpabilidad. La relación de pareja es un campo abonado para la aparición de este mecanismo psicológico consistente en acusar a otro de lo que le pasa a uno.

El sentimiento de culpa es neurótico cuando se esconde tras actitudes como:

—El masoquismo moral, característico de personas que siempre están sufriendo por una u otra causa o que se «sacrifican» continuamente por los demás.

—La incapacidad para responsabilizarse de los errores cometidos, típica de las personas que nunca tienen la culpa de nada y siempre atribuyen a los demás sus equivocaciones. Incapaces de reconocer un fallo propio, son intransigentes e inmaduras.

—La mala suerte que parece perseguir a algunos, y que muchos llaman «destino», esconde a veces un impulso irrefrenable de autocastigo.

7
MANIFESTACIONES SINTOMÁTICAS

CUANDO LA MENTE HACE SUFRIR AL CUERPO

Los conflictos psicológicos causan perturbaciones físicas, del mismo modo que los sufrimientos corporales provocan alteraciones psíquicas. No son entidades separadas.

El cuerpo se lamenta cuando la mente sufre, enferma cuando el alma llora. Muchos conflictos emocionales se expresan a través del cuerpo. Cuanto más sordos seamos a nuestras emociones, cuanto más neguemos nuestros afectos, más sufriremos corporalmente. No podemos desconocer nuestro mundo emocional sin que el cuerpo nos pase factura, porque el cuerpo tiene memoria y no olvida, aunque nosotros muchas veces nos empeñemos en hacerlo.

Cuando se produce una sordera psíquica, aparece una ruptura en la íntima unión del cuerpo con la psique y aparecen las manifestaciones psicosomáticas. Cuando el afecto se aplasta, el cuerpo queda dolorido, a la deriva, y reacciona con una enfermedad, con un dolor.

Hay una conjunción entre lo sensorial y lo verbal. Por ello, para transmitir emociones, recurrimos muchas veces a metáforas sensoriales: «tiemblo de miedo», «me aplasta la pena», «el corazón me salta de alegría», «tengo un nudo en la garganta», «se me ha revuelto el estómago», «esto me da náuseas», etc.

Cuando el cuerpo habla

Cuando el cuerpo se queja, lo primero es acudir al médico para descartar cualquier problema orgánico. Ahora bien, es posible que hayas escuchado alguna vez que no tienes nada que justifique tus dolores.

Tampoco es raro que algunos médicos atribuyan determinados malestares a «los nervios». Ese diagnóstico sí que nos pone nerviosas, pues abre ante nosotras un abismo de incomprensión. No es posible que no me ocurra nada, pensamos, con lo que me duele el estómago o la cabeza, o con lo agotada que estoy. Preferimos encontrar una causa física que solucione un medicamento o una intervención. Los conflictos psicológicos son más lentos de resolver y, a veces, no sabemos a quién acudir para pedir ayuda.

Todas las emociones humanas se sustentan en el cuerpo. Así, la falta de una descarga emocional o física adecuada ante determinados estímulos eleva el grado de tensión en ciertos órganos (intensificación que se hace sentir en forma de sensaciones dolorosas). Por otro lado, cuando la energía psíquica destinada a determinados objetos se retira de ellos, se vuelve hacia el cuerpo propio. Una vez retirada la libido de aquellos a los que estábamos enlazados afectivamente, se altera la economía psíquica y el cuerpo, o alguna parte de él, puede cargarse demasiado y enfermar. Entre los impulsos retirados del objeto y transferidos a la representación de órganos, parecen desempeñar un papel especialmente importante los impulsos hostiles y los sádicos.

Los afectos son exteriorizados con frecuencia a través del cuerpo, pero la expresión física de un afecto puede producirse sin las correspondientes vivencias psíquicas, es decir, sin que la persona se dé cuenta de su significación afectiva. Por ejemplo, la ansiedad o la excitación sexual pueden ser sustituidas por alteraciones en el aparato intestinal, respiratorio o circulatorio.

Antes del dominio del lenguaje, el bebé utiliza su cuerpo para expresar el dolor, la rabia o la angustia. Su madre hará una lectura de esas emociones y pondrá palabras a lo que le pasa. El lenguaje pone límites a la angustia y construye nuestro psiquismo. La somatización es una forma de protolenguaje muy eficaz en el principio de nuestra vida. Cuando las emociones no pueden ser elaboradas psíquicamente, son somatizadas.

Maite: un estómago muy sensible

Maite tenía un malestar en el estómago muy incómodo. Le habían diagnosticado una gastritis que se agudizaba en épocas de estrés. A veces se añadían a esta dolencia unos gases que le producían unos pinchazos muy dolorosos. El estómago era su punto débil, y en épocas de estrés empeoraba.

Había intentado encontrar reconocimiento y aprobación de su madre, de una madre exigente a la que nunca le parecía bastante lo que hacía. Se había sobrecargado de trabajo. Tenía una cafetería con dos empleados, dos hijas pequeñas que le reclamaban constantemente y además, pretendía ser una buena ama de casa.

Maite no pedía la ayuda que necesitaba para demostrarse que podía hacer muchas cosas, que valía mucho, siempre pensando en la mirada crítica de su madre. Tras esta actitud se escondía el convencimiento de que jamás sería tan aceptada y querida como su hermana pequeña. El apego infantil que aún sentía por su madre era tan intenso como negado, lo que la llenaba de rabia y también de dolor. Para no pelearse con su madre ni con su hermana se peleaba consigo misma y los resultados de esta lucha se expresaban en su estómago. Maite no podía digerir cómo su madre alababa a su hermana mientras a ella siempre le pedía más. A veces se sentía a punto de explotar, y esa era precisamente la sensación que le producían los gases: la de tener una bomba dentro.

La necesidad de apego y protección se traduce especialmente en disturbios del área digestiva. Se podría decir que la persona necesita mejor alimento afectivo.

Afectos ocultos

La cólera, la depresión, la angustia, el desamparo afectivo, se manifiestan como signos evidentes en nuestro cuerpo. Todo conflicto capaz de desencadenar ansiedad, culpabilidad, deseos reprimidos o agresividad, puede también desencadenar manifestaciones somáticas. Algunas de las enfermedades más habituales van acompañadas de afectos inconscientes que en alguna medida las determinan.

—La hipertensión: en estos casos parece que existe una extrema tensión instintiva, una propensión a la agresividad y a la vez un fuerte deseo mudo de liberarse de ella. Ambas tendencias no son conscientes y se observan en personas que superficialmente parecen muy tranquilas.

—La piel: es la envoltura del cuerpo, la frontera que separa lo que está dentro de lo que está afuera. Didier Anzie relacionó la piel con nuestro «yo», que también hace de límite entre nuestro mundo instintivo y el sistema consciente por el que sabemos diferenciar quiénes somos y quién es el otro. Las alteraciones y conflictos psíquicos pueden representarse metafóricamente en las afecciones de tipo dermatológico y señalarían dificultades en las relaciones entre el «yo» y los otros.

—Dolores de cabeza: por lo general lo padecen las personas de marcada inestabilidad emocional. Tienen tendencia a la depresión y muestran a menudo un intenso apego a los padres. Se encuentran en lucha contra una actividad hostil inconsciente dirigida a destruir la inteligencia de alguien, pero los sentimientos de culpa vuelven esa tendencia contra la cabeza propia.

—Aparato respiratorio: la respiración tiene una íntima vinculación con la angustia. Las dificultades en la respiración son la expresión de pequeñas cantidades de angustia. Los resfriados comunes, cuando son muy frecuentes o duran demasiado tiempo, son la consecuencia de pequeños estados depresivos que no son registrados conscientemente por la persona.

El síntoma de conversión

La conversión consiste en transferir un conflicto psíquico al cuerpo. La energía psíquica que ha sido retirada de sus representaciones mentales queda libre y ejerce una presión exagerada sobre un órgano. El síntoma que se padece representa simbólicamente el conflicto que se quiere expresar. Así pues, los impulsos instintivos reprimidos se sirven del cuerpo para expresarse y alteran algunas funciones fisiológicas.

Esta transposición al cuerpo de un conflicto emocional es una tentativa de resolver el problema sin sufrimiento psíquico.

El dolor corporal siempre es más controlable que el psíquico. Resulta más fácil aliviar un dolor de cabeza que soportar un ataque de angustia. Por esto, en muchos casos, cuando la tensión emocional alcanza niveles excesivos, se transfiere al cuerpo.

Fue Freud el que dio una explicación psíquica a los síntomas de conversión, llamados así porque consisten en transformar la energía psíquica en inervación somática. Una de sus pacientes, aquejada de parálisis, se recuperó cuando pudo descifrar el significado de su síntoma: no podía dar un paso hacia la realización de su deseo, por lo que sus piernas se negaron a andar. Estaba enamorada de su cuñado, y al morir su hermana, el camino le quedaba libre. Pero le parecía una aberración hacerse cargo de ese deseo y no lo reconocía.

La pregunta que se hace constantemente el hipocondríaco es: «¿Tendré algo malo?». El hipocondríaco se encuentra en una escucha permanente de lo que le ocurre a su cuerpo y, lo diga o no, siempre se pone en lo peor. Si siente palpitaciones, se imagina que está a punto tener un infarto; si se descubre un bultito, piensa que es un cáncer; si le duele la cabeza, cree que puede tener un tumor. En cualquier caso, hay dentro de su cuerpo un enemigo dispuesto a perjudicarle.

El hipocondríaco tiene miedo de lo que puede pasarle a su cuerpo, vive atemorizado por la enfermedad. Consume gran parte de su energía vital en preocupaciones constantes que le hacen sufrir. Utiliza un lenguaje corporal para hablar de cualquier cosa, pero lo que busca incesantemente es un interlocutor que entienda lo que le ocurre a su «yo», más allá de lo que él dice de su cuerpo. ¿Cómo se origina la hipocondría? ¿Se puede superar?

Según la psicoanalista Joyce McDougal, la psique está marcada por la modalidad de relación que tengan la madre y el niño, que es anterior a la adquisición de la palabra hablada. Desde el principio, el bebé es leído por la madre en sus necesidades corporales y está rodeado de una atmósfera bañada de palabras con las que aprende a entender lo que le pasa. Pero al mismo tiempo se le transmite otro lenguaje. Una madre le da mucho más que palabras al bebé que tiene en brazos. No hay percepción corporal (tacto, olor, vista, gusto) que no reciba del cuerpo de la madre. El niño recoge estas comunicaciones no verbales en forma de inscripciones corporales. La conjunción que se produzca en esta época entre cuerpo y psique determinará la forma que tendremos de verbalizar las sensaciones corporales o de corporeizar las emociones.

Así pues, los dolores y temores del hipocondríaco tienen su razón de ser en algo muy lejano e incontrolable, que es de difícil acceso y que además provoca angustia. Claro está que en una psicoterapia adecuada se pueden transformar los miedos concentrados sobre el cuerpo. Una construcción del «yo» más firme y segura puede realizarse cuando se pueden narrar los traumas, ya sean reales o imaginarios, que el hipocondríaco sufrió en la relación con sus progenitores.

Marisa: no tiene nada

Marisa estaba asustada. Desde que se encontró un pequeño bulto en el pecho había recurrido a varios médicos sin que ninguno lo interpretara como nada preocupante. Pero ella insistía. Cuando iba a un ginecólogo que no le diagnosticaba nada grave, desconfiaba de él y acudía a otro, pues estaba convencida de sufrir un cáncer. Siempre fue un poco hipocondríaca. Los temores de Marisa por su salud están conectados con una situación afectiva inconsciente. Está muy deprimida y a veces quisiera morir.

Después de cinco años de matrimonio le gustaría quedarse embarazada, pero tiene muchas dificultades para realizar ese deseo y teme que haya algo dentro de ella que no funciona bien. En lugar de un embarazo, imagina que tiene otro tipo de bulto en la matriz. Imagina que tiene un tumor canceroso. Marisa tiene una madre agresiva que solo le señala los fallos que comete y de la que ella no se ha podido separar adecuadamente. Todos los afectos agresivos que siente hacia su madre forman un bulto «malo» en el interior de su cuerpo, un bulto que le puede hacer morir y que ella se imagina como un cáncer que la hiere por dentro. Sería una forma de castigo. Marisa está hambrienta de afecto materno y necesitada de nombrar los afectos agresivos que esconde en su interior y que no son tan destructores como cree.

El hipocondríaco no miente, se miente. No conoce su verdad. Sin embargo, en sus quejas y temores hay un enigma que quiere ser contado para así resolverse.

Cuando el pensamiento y los actos se convierten en obsesiones

Hay muchas clases de manías, desde la de volver a casa a comprobar que se ha apagado el fuego de la cocina hasta la de revisar veinte veces el cerrojo de la puerta antes de irse a la cama. Es posible que conozcas a alguien que cruza disimuladamente los dedos ante determinadas situaciones porque cree que así evita que suceda una catástrofe a alguno de los suyos. ¿Y quién no ha padecido de cerca una persona totalmente obsesionada con la limpieza, la pulcritud y el orden?

Las obsesiones y manías solo se convierten en motivo de preocupación cuando su exceso envenena la mente y ocupa demasiado tiempo en la vida. A veces, un suceso externo precipita un comportamiento obsesivo, pero para que este se mantenga es necesario que haya una predisposición psíquica. Cuando aparece una idea obsesiva, que provoca a su vez un acto repetitivo, este se lleva a cabo albergando la fantasía de evitar una desgracia. En tal situación, nuestra voluntad consciente está anulada. Las ideas y los actos se imponen y la voluntad es insuficiente para dominar aquello que nos vemos impelidos a hacer. Nuestro «yo» no se siente libre en el uso de su poder. Por el contrario, está obligado a hacer, pensar u omitir ciertas cosas bajo terribles amenazas. En esos casos se recibe un mandato desde dentro, estamos dominados por una poderosa instancia interna tan propia como ajena a nuestra voluntad. Esta instancia inconsciente es la reserva de todo un conjunto de reglas morales que critican duramente alguno de nuestros deseos más inconfesables. Las personas que sufren este tipo de síntomas suelen ejercer una autocrítica demasiado rígida y mantienen una lucha sin cuartel para que determinados sentimientos y deseos inconscientes no salgan a la luz. No se relacionan bien con el placer, y su vida está dominada por la idea de lo que es necesario hacer o lo que se debe hacer, nunca de lo que desean hacer.

Rosa: la obsesión por la limpieza

Rosa ha desarrollado en los últimos años una obsesión exagerada por la limpieza y se lava las manos entre diez y quince veces al día. Cuando los niños, que están poco tiempo en casa, vienen del colegio, prefiere que se vayan a jugar fuera, pues ensucian mucho. Esta manía por el orden y la limpieza se ha agudizado desde que se separó de su marido, y a veces se siente realmente agotada. Ella argumenta que es para que sus hijos vivan en un ambiente limpio y saludable y que no se contaminen con algo que les pueda perjudicar en el terreno de la salud. Y, si bien se da cuenta de que su compulsión a lavarse las manos es excesiva, no puede evitarla. Vive presa de una organización interna que la domina totalmente.

Durante la separación lo pasó muy mal, pensó que nunca más volvería a enamorarse. Sin embargo, hace tiempo que se siente atraída por el marido de su amiga íntima y quiere evitar a toda costa las complicaciones que esta relación le pudiera traer. Quiere evitar contaminarse de afectos y deseos que siente incontrolables. El síntoma de lavarse las manos está asociado a la sexualidad y es una metáfora de su aspiración a quitarse de encima unos deseos que considera sucios y a vivir una vida sin las complicaciones emocionales que le proporcionaría encontrar el placer con el marido de su amiga. La fantasía que tiene es que con este hombre no le ocurriría lo que con su anterior matrimonio. Rosa fue infeliz y frígida. En la compulsión a lavarse, la persona siente una orden que le dice: «Ve y lávate». Orden recibida en la infancia por sus padres y que ahora cumple para lavar lo que considera pensamientos o deseos reprochables y que pueden referirse a diversos ámbitos de la existencia. Un rasgo psicológico que caracteriza a las personas que padecen este tipo de síntomas es el pensamiento mágico, característico de la etapa infantil. Imaginan que sus fantasías se realizarán o no en función de que las acompañe algún rito que ya conocen y los tranquiliza.

Estos actos encierran un mensaje cifrado, susceptible de un análisis psicológico.

Begoña: la palabra mágica

Gracias a la repetición de aquella palabra, que para ella tenía poderes mágicos, Begoña se sentía más tranquila. La palabra no era otra que «supercalifragilisticoespialidoso». Nadie conocía su secreto porque a nadie se lo había contado jamás. Aquel día salió de su trabajo un poco enfadada porque por más que se esforzaba, por más que corría, jamás lograba tener las cosas al día. Por si fuera poco, al llegar a casa, se encontró con su hermano, que había ido a hacerle una visita. En realidad, lo que quería era pedirle dinero porque pasaba por una mala racha.

Cuando volvió a quedarse sola, Begoña comenzó a repetir la palabra mágica para aliviar el enfado. Su hermano era un irresponsable. Siempre andaba metido en negocios que le salían mal y siempre le proponía a ella que le ayudara. A Begoña le molestaba que tuviera tan poca capacidad para controlar su vida. Al final, siempre era ella la que le sacaba las castañas del fuego, por lo que empezaba a estar harta. A Begoña le gusta controlarlo todo, pero últimamente tiene la sensación de que no puede. Algo interno comienza a desbordarla. Como si la palabra mágica no bastara para poner diques a ese desbordamiento, ha comenzado a hacer otros rituales, como el de cerrar la puerta tres veces. Y, aunque no se lo ha dicho a nadie, a lo largo de la última semana, en dos ocasiones, ha tenido que volver a casa cuando ya estaba en la calle para asegurarse de que había apagado la cocina.

Lo que antes era un alivio estaba empezando a convertirse en un martirio, pues cada día tenía más manías. Entonces, acudió a una psicoterapia, donde descubrió que su palabra mágica funcionaba como una llave que intentaba cerrar la puerta de acceso a unos conflictos que creía superados. Pero no era así. De hecho, tenía un sentimiento inconsciente de culpa que no la dejaba vivir con tranquilidad y placer. Durante la adolescencia, su padrastro había tenido acercamientos un tanto confusos hacia ella, lo que le inquietó y le obligó a controlar unos impulsos que le parecían censurables. Su hermano también se acercaba demasiado, haciendo proposiciones que la mayoría de las veces tenían para ella tintes deshonestos. Por aquel entonces vio la película en la que escuchó aquella palabra mágica que lo arreglaba todo. Comenzó a pronunciarla en un intento de controlar lo que le estaba ocurriendo. Desde entonces, cada vez que se sentía desbordada por un afecto muy intenso, que le producía una ambivalencia semejante a la que sentía hacia su padrastro, la palabra mágica venía a su cabeza para apagar un fuego que ella, por sí sola, no era capaz de controlar. La idea del fuego inextinguible estaba asociada también a la idea obsesiva de haberse dejado la cocina encendida, lo que podía provocar un incendio.

Cuando Begoña pudo procesar psicológicamente lo que le había ocurrido y reconocer la actitud patógena de su padrastro y de su hermano, su sentimiento de culpa disminuyó y sus síntomas obsesivos dejaron de controlarla. Pasó a dirigir su vida, porque dejó de tener miedo a los afectos inconscientes. Ya los conocía y, en alguna medida, los dominaba.

Hay personas, como le ocurre a Begoña, que pronuncian palabras a las que adjudican poderes mágicos o llevan objetos de los que no se separan. También hay quien repite pequeños rituales que le ponen a salvo de peligros imaginarios o reales. Tales ritos relajan a quien los elige y ejecuta. Si no puede llevarlos a cabo, se angustia.

Estos ceremoniales íntimos son expresión de determinados conflictos psíquicos. Cuando invaden gran parte de la vida, son patológicos. Sus víctimas necesitarán ayuda terapéutica. Si no alcanzan ese grado de morbosidad y la persona que los padece tiene un conocimiento aceptable de sí misma, pueden servir para hacerse algunas preguntas y dedicar un poco de tiempo a averiguar algo sobre uno mismo. Muy diferentes a estas son las pequeñas manías que no nos hacen sufrir a nosotros ni a los demás y que deben ser respetadas como rasgos personales, pues ayudan a asegurar nuestro mundo interno y a encontrarnos mejor en relación con el mundo externo.

En cualquier caso, conviene saber que los rituales y fetiches tratan siempre de calmar la angustia que se siente al descubrir aspectos de uno mismo frente a los que nos sentimos incómodos. Su repetición constituye un modo de controlar determinados sentimientos y negar lo que nos provoca algún conflicto. Cuando los síntomas obsesivos aumentan, es porque nuestro «yo» se asfixia entre los impulsos que sentimos y la censura que nos imponemos para no reconocerlos.

En las ideas obsesivas, donde el pensamiento que domina es que si no se hace esto o aquello va a suceder algo malo, se ve más claramente el sentimiento de culpa que proviene del interior. Es como si dijéramos: «Si cumplo determinadas reglas, significa que me he portado bien y no tengo por qué ser castigado».

Si bien las ideas obsesivas, los rituales o los fetiches pueden calmar temporalmente, no resuelven la angustia de fondo, que volverá a aparecer. El problema es que a cada aparición se multipliquen los ritos o las ideas obsesivas hasta el punto de llegar a ser esclavo de ellas.

Cuando el orden se convierte en un agobio

Cuando la necesidad de orden es exagerada, su víctima no disfruta ni de lo que está ordenado, pues siempre piensa en lo que falta por colocar. Sufre si algo no está en su sitio, si alguien cambia algún objeto de lugar. Nunca está relajada y suele molestar a los demás porque les pide que se comporten como ella. Tal sentido del orden es un síntoma de que algo interno no marcha bien.

En realidad, la persona que padece ese síntoma lo ordena todo para no angustiarse, que es lo que le ocurre cuando el orden previsto se descoloca. Lucha desesperadamente para que no se filtre hacia su conciencia ningún desbarajuste emocional que no estaría dispuesto a aceptar.

Su empeño por ordenar el mundo externo se produce porque siente el interno caótico e inadmisible, aunque controlado gracias a ese orden externo que actúa como dique de contención del volcán interior.

Cuando una actitud se impone de forma exagerada, nos encontramos ante una defensa que intenta parar un impulso inconsciente.

El sentido del orden se convierte en un problema cuando la persona no se puede sustraer a una «orden» interna que la empuja a dejar todo en su lugar, que la convierte en un ser sometido a un orden externo muy rígido y esclava de una actitud que no le deja disfrutar, ya que siempre ve lo que está fuera de sitio.

El sentido del orden es una interiorización de la obediencia a las exigencias del medio ambiente que se han recibido durante los primeros años de vida. Cuando estas exigencias son demasiado rígidas y no tienen en cuenta el proceso de maduración del niño, se puede dar una rebelión y entonces aparece el desorden excesivo y la obstinación a no cambiar. En caso contrario, cuando el niño se encuentra abandonado a lo que él le parezca y no se le enseñan unos hábitos de limpieza y orden adecuados a su edad, no se le ponen límites ni se respetan sus posibilidades madurativas, también se producen dificultades para ordenar el mundo que le rodea.

Susana: ordenada para ser querida

Susana siempre había sido extremadamente ordenada y no podía comprender que su hija fuera todo lo contrario. Su marido también era bastante cuidadoso.

Aunque durante las vacaciones incluso ella se relaja un poco, este año tenía que hacer esfuerzos para no discutir con su hija cada dos por tres. Se preguntaba cómo era posible ser tan desordenada ya con dieciséis años y se ponía de muy mal humor.

Su hija le decía que era una exagerada, que no se preocupara, que ya recogería las cosas. Pero Susana no podía esperar. ¿Hasta dónde podría aguantar? ¿Realmente era ella una pesada o su hija un desastre? ¿Cómo no había sido capaz de educarla mejor?

Si Susana escuchara un poco más a su hija, podría aprender algo de sí misma. Los adolescentes son molestos cuando nos devuelven algo de nosotros mismos que no nos gusta y por esta razón no les escuchamos. Susana tiene dificultades con su hija porque, como todas las madres, repite en alguna medida lo que ella recibió como hija. Susana se identificaba con su madre en lo ordenada que era: entendió muy pronto que para ser querida por su madre debía ser ordenada. Se trataba de un valor muy importante y lo aceptó, guardando dentro de sí la rabia que le producía pensar que, para ser querida, tenía que ser como su madre le imponía. En esa imposición había algo que siempre vivió muy mal Susana: su madre fisgoneaba en sus cosas íntimas, quería tener controlada también la sexualidad de su hija y esto le quitaba a ella autonomía.

La hija de Susana tiene más libertad para ser diferente, pero esto se lo hace pasar mal a su madre. La hija hace algo que ella nunca se atrevió a hacer con su madre y estos movimientos inconscientes, que son desconocidos para Susana, son los que le hacen exagerar las actitudes de su hija.

Cuando la duda es permanente

La duda permanente revela el miedo a tomar decisiones. Anula la capacidad de disfrutar con lo que deseamos y evita pasar a la acción. El dudoso siempre piensa que era mejor lo que ha dejado pasar que lo que ha escogido. Por eso nunca está satisfecho con sus decisiones y se resiste a elegir: no quiere dejar nada. En el fondo, la duda patológica esconde el miedo a vivir.

A este temor, tras el que se oculta el deseo de tenerlo todo, va asociada una gran inseguridad personal. La persona que duda no se fía de su opinión, ni de su criterio. Una voz interna le habla de lo que pierde al escoger una cosa en lugar de la otra y se bloquea. El resultado final es que no elige o bien alarga todo lo que puede la decisión para intentar que otro la tome por él.

Hay dudas razonables que conviene tener antes de tomar las grandes decisiones. Ahora bien, cuando la vacilación entre una cosa u otra se convierte en una actitud permanente, cuando para elegir objetos banales o tomar decisiones cotidianas, intrascendentes, utilizamos mucho tiempo, es porque estas dudas son el reflejo de otras más íntimas e importantes que no resolvemos de modo adecuado.

La duda encierra siempre preguntas fundamentales (¿Qué hago? ¿A quién escojo? ¿Quién soy para decidir?), que ocultan otras que la persona no se formula porque le crean conflictos y porque desconoce la respuesta. Las preguntas ocultas estarían referidas a la subjetividad e identidad de quien duda y se podrían formular más o menos en los siguientes términos: ¿qué aspectos son más importantes en mí: los femeninos o los masculinos? ¿Qué me gusta más: que decidan por mí, o ser responsable de mis actos? ¿Será mejor ser hombre que mujer?

Cuando la indecisión, por ejemplo, sobre si adquirir una prenda de vestir alcanza un grado patológico, es porque tenemos miedo a definirnos. Si necesitamos la opinión de otra mujer, a la que consideramos más capacitada que nosotras para tomar decisiones que, sin embargo, nos conciernen, esa otra mujer suele representar a la mujer de la que no somos capaces de liberarnos.

Tal es el conflicto que sufre Andrea cada vez que se le ocurre comprarse ropa.

Andrea: «¿Cuál me llevo, el rojo o el azul?»

—¿Cuál me llevo, el rojo o el azul? ¿A ti cuál te gusta más? —pregunta Andrea a su amiga Elena.

—Pues a mí el rojo, pero no sé si es el que mejor te queda.

Las dos amigas se encuentran en una tienda donde miran vestidos para una boda a la que ha de asistir Andrea, a quien le gusta ir de compras con su amiga porque dice que se lo pasa mejor, cuando lo que le ocurre es que no puede tomar una decisión de este tipo por sí misma. De hecho, alguna vez que ha intentado ir de compras sola, el resultado ha sido desastroso, porque o bien no encuentra nada que le guste o, al final, si se compra algo, es porque ha encontrado a una dependienta que sabe vender y que la ha convencido de que todo le queda bien. El problema es que a los dos días vuelve a la tienda con Elena para cambiar la ropa que se ha comprado por otra.

La dependencia de Andrea hacia su amiga se produce porque ella no se reconoce como mujer, en el sentido de saber quién es, en qué se parece a su madre y en qué no. Le gustaría ser como su amiga, que al llevarse mejor con sus rasgos personales y tener una identidad más firme, también se conoce más y está dispuesta a admitir lo que le gusta y a renunciar a lo que no le cae bien.

Las dudas sobre nuestra subjetividad se proyectan hacia el exterior porque lo que se juega en esa vacilación perpetua es nuestra identidad. A lo mejor conoces a alguien que pide tu opinión sobre algo porque no está segura y más tarde decide justamente lo contrario de lo que le has aconsejado: basta que haya conseguido una respuesta para que inmediatamente después la anule y haga lo opuesto. Tu consejo solo le servía para desviarse de él y creer de este modo que era capaz de elegir.

El temor a equivocarse, cuando es tan alto que conduce a postergar demasiado una decisión, esconde un miedo fundamental y devastador: el miedo a vivir. La vida diaria está llena de pequeñas decisiones que podemos sentir como propias o como que algo o alguien las toma por nosotros. Hay muchas personas alienadas que deciden en función del deber sin tener en cuenta el deseo. Decidir significa crecer y enfrentarse a posiciones infantiles en las que todo lo decidían por nosotras.

El que teme exageradamente equivocarse tiene la fantasía infantil de que puede llegar a tenerlo todo, por lo que no está dispuesto a renunciar a nada y por ello no puede elegir: todavía no ha descubierto que de nuestros errores es de donde más aprendemos.

Un alto grado de exigencia no nos deja relativizar nuestras acciones, lo que nos permitiría aliviar el miedo a equivocarnos.

Cuando los miedos nos dominan

El miedo es una emoción que se produce frente a una amenaza real y que impulsa a protegerse. Constituye, pues, un mecanismo de defensa muy saludable que le hace dar al «yo» los pasos adecuados para cuidarse y no sufrir daño. La persona, en este caso, discrimina lo que está fuera de sí y no mantiene una lucha interna con aspectos de su personalidad.

Sin embargo, en algunas ocasiones, los miedos nos dominan y sufrimos lo que se llama «fobia», que es el temor irracional hacia un objeto o situación. La principal actividad del «yo» es evitarlo. La amenaza y el peligro que representa estar cerca del objeto fobígeno se va extendiendo cada vez más, abarca mayor número de objetos situaciones o personas. Aunque a veces se trata de trivializar, por tratarse de un sufrimiento psicológico, puede convertirse para quien lo sufre en un verdadero martirio. La fobia siempre es un síntoma a través del cual el inconsciente expresa algo sexual que el sujeto teme profundamente.

Las fobias son miedos exagerados que producen angustia y pánico ante determinadas situaciones, objetos o personas. Una cantidad de libido o energía psíquica queda asociada a un objeto externo del cual se puede escapar. Pero este objeto representa en el inconsciente otra cosa: un deseo inaceptable para el «yo», una amenaza originada por impulsos censurados, una excitación rechazada.

La fobia es, pues, un síntoma que intenta proteger de la angustia. En esta protección tiene éxito, pero también fracasa. Su éxito consiste en que evitando el objeto o la situación temida se evita la angustia, pero no se elimina del todo, sino que se desplaza hacia un objeto externo del que sí se puede huir. Cuando una emoción se desliga del objeto que la provoca, queda libre y se transforma en angustia. Freud ponía el siguiente ejemplo para explicar su origen: «El niño que experimenta angustia ante el rostro de un extraño es porque esperaba ver el rostro de su madre y la libido para ella preparada se transforma en angustia». Luego indicaba que las primeras fobias infantiles se refieren casi siempre a la «soledad» y a la «oscuridad».

En las fobias se producen regresiones a situaciones infantiles. Veamos lo que le ocurre a Marta.

Marta: el miedo a la calle

Marta lo pasaba muy mal cuando tenía que salir sola a la calle. No sabía lo que le ocurría, pero poco a poco el miedo se había hecho casi dueño de su vida.

Comenzó sintiéndose incómoda en los grandes espacios abiertos, en los sitios donde había mucha gente, como grandes almacenes o calles concurridas, pero ahora salir de casa sola era una odisea. Siempre se hacía acompañar por alguien. Si no, iba en coche porque eso le producía más seguridad. ¿Qué le pasaba?

Los síntomas de Marta señalan que padece agorafobia. Teme los espacios abiertos. Se angustia ante ellos. Marta ha empeorado mucho desde que rompió con Raúl, su novio, con el que llevaba casi cinco años. Al principio creía que era porque estaba triste y no le apetecía salir, pero después de unos meses se empezó a preocupar seriamente y asistió a una psicoterapia donde encontró el sentido de su síntoma.

Aunque su padecimiento era bastante complejo, algunos de los datos que le ayudaron a comprender el síntoma provenían de su infancia. Cuando era pequeña, se perdió cerca de su casa y pasó mucho miedo hasta que sus padres la encontraron. Ahora se sentía perdida en la vida, pues la relación con su novio había sido de excesiva dependencia, y al romper con él tenía que hacer frente a lo que ella sentía como un profundo desvalimiento. A su madre nunca le había gustado su novio, por lo que, en alguna medida, le parecía que su madre había causado el alejamiento de este.

El miedo a salir a la calle estaba asociado a la fantasía de que se podía caer delante de todos, fantasía que escondía una profunda hostilidad dirigida contra su novio y, en última instancia, contra su madre, pues su deseo inconsciente era mostrar a todos lo desvalida que su novio la había dejado (tanto como su madre la había traído al mundo). Además, imaginaba que se podría ir con cualquiera que la socorriera al verla perdida.

Lo esencial es que tras todos estos pensamientos se escondía la fantasía de que al estar desorientada en la calle alguien podría convertirla en una mujer de la calle. La indefensión y la dependencia que sentía correspondían a cuando era una niña. Si se caía en la calle, alguien la cogería en brazos y se la llevaría para hacer con ella lo que quisiera. Ese deseo contra el que luchaba la hacía quedarse en casa.

Marta dejó de tener miedo a salir a la calle, porque dejó de tener miedo a sentirse sola e irse con cualquiera. Empezaba a elegir.

Agorafobia

La angustia infantil a la calle aparece cuando el niño se da cuenta de que es fácil que se encuentre en situaciones que no puede resolver. Por ejemplo, le puede pillar un coche. Prefiere entonces confiarle a un adulto la tarea de protegerle, de hacerle cruzar la calle. Al carecer de recursos internos para identificarse con el adulto, prefiere tenerlo a su lado.

Ahora bien, cuando se padece agorafobia, lo que ocurre es que la persona necesita un acompañante que le cuide, pero ya no de los peligros externos, sino de las tendencias internas y deseos prohibidos que, merced a desplazamientos, son sentidos como peligros que vienen de fuera (lo que de alguna manera sí era real en la infancia). El acompañante de la persona que sufre angustia al salir a la calle hace las veces de madre que cuidaba al niño de los peligros de la realidad exterior.

Mónica: el miedo a los aviones

Mónica jamás pensó que llegaría a tener pánico al avión. Sin embargo, empezó a sentir hacia él una fobia insuperable. Como era una mujer práctica y reflexiva, le daba vergüenza aceptar que no podía superar ese miedo, de modo que buscó una explicación que, aunque inconsistente, a ella le parecía razonable: su miedo procedería de que una amiga suya había fallecido en un accidente de avión ocurrido hace años.

La identificación con esta amiga funcionó, pues, como coartada racional. Sin embargo, la explicación solo le servía para calmar un poco la ansiedad que le producía estar dominada por sensaciones incontrolables y dolorosas, como la angustia que se le ponía en el estómago cada vez que pensaba en subir a un avión. Aunque su vida de trabajo se alteraba cada vez que tenía que viajar, fue saliendo del paso gracias al tren y al coche.

Lo malo es que entonces empezaron a darle miedo también los sitios cerrados. Sus temores se extendían y su vida se limitaba.

Lo curioso es que estas fobias desaparecieron al poco de separarse de su marido. ¿Por qué? En realidad, aunque ellos no fueran capaces de reconocerlo, su matrimonio no funcionaba desde hacía mucho tiempo. Su relación estaba agotada, pero ninguno tomaba la iniciativa de separarse. Fue entonces cuando apareció la fobia. Y es que cada vez que cogía un avión, Mónica realizaba en su inconsciente el deseo de alejarse de su marido, pero la excitación que esto le producía se transformaba en angustia, porque un movimiento de culpa contrarrestaba el de liberación.

Por otra parte, el avión, que es por su propia naturaleza un lugar cerrado, evocaba a la vez el sentimiento de asfixia asociado a su matrimonio. Volar, en fin, representaba dos cosas contradictorias: la huida y el encierro. Mónica desplazó hacia el avión todos estos sentimientos inconscientes bajo la forma del miedo a volar. La fobia es, efectivamente, un desplazamiento consistente en colocar fuera lo que provoca angustia dentro. De ese modo, al evitar el objeto que la representa, se evita la angustia.

La depresión

Se trata de un sufrimiento psíquico cuyas razones son fundamentalmente subjetivas e inconscientes. Si bien la pueden desencadenar sucesos externos, son acontecimientos del mundo interno los que la provocan. La persona se enfrenta a un intenso dolor producido por sus sentimientos de fracaso y frustración. Puede pensar que su vida carece de sentido o que no vale la pena como persona, ideas que se adueñan de él o ella y le conducen a una enorme tristeza.

El psicoanálisis explica el estado depresivo al analizar un estado afín, que sería el duelo, y sostiene que es el dolor de una pérdida lo que provoca la depresión. Sigmund Freud, en su obra *Duelo y melancolía,* dice que, cuando alguien pierde a un ser querido, se entristece lógicamente porque tiene que realizar el trabajo del duelo, que consiste en ir retirando la carga afectiva de esa persona para ir colocándola en otros objetos amorosos y soportar, de esta forma, la pérdida sufrida. Si sus afectos son ambivalentes (lamenta su ausencia, pero también se le reprocha el haberse ido), esos sentimientos agresivos inconscientes se vuelven contra el «yo»: los reproches se transforman en autorreproches y puede sentirse hasta culpable de lo ocurrido y aparecer una depresión. La instancia moral de nuestro psiquismo se encarga de martirizar al «yo» haciéndole sentir que no sirve para nada, que nadie le estima, cuando, en realidad, es él quien ha dejado de quererse a sí mismo, pero no sabe por qué.

En la depresión la pérdida que no se soporta puede ser la de un ideal que no se puede alcanzar, en relación al cual la persona se siente fracasada. La pérdida de prestigio en el trabajo o la decadencia corporal, a partir de determinada edad, puede ser el detonante de una pequeña depresión, sobre todo si la persona se niega a aceptar esos cambios, porque representan una pérdida de valor personal y no tiene recursos para sentirse estimable.

Se produce una verdadera intoxicación interna de descalificaciones personales. Aparecen ideas como «no sirvo para nada», «soy un desastre», «no le intereso a nadie».

Pero si los pensamientos de fracaso, inferioridad o culpa por no alcanzar un ideal son capaces de producir depresión es por la renuncia a realizar un deseo con el que alcanzaría la supuesta felicidad.

La tristeza que siente es la manifestación dolorosa ante este pensamiento; el llanto, además de la manifestación de ese dolor, es un intento regresivo de obtener lo deseado por medio de una técnica que en la infancia resultó ser efectiva.

¿Hay un tipo específico de deseo que cuando es vivido como irrealizable nos conduce a la depresión o, por el contrario, cualquier deseo es capaz de desempeñar esta función?

Son deseos de amor idealizados los que, cuando no se cumplen en la realidad, pueden desembocar en depresión. La persona deprimida no puede ni amar ni amarse, es tan ambivalente en sus sentimientos para consigo misma como para con los que la rodean. La agresividad con la que se tratan a sí mismas se hace notar en el malestar que provocan en las personas que les rodean, que, con frecuencia, acaban sintiéndose impotentes para quitarle al deprimido las oscuras gafas con las que se empeña en ver el mundo.

Elvira: «Mi poquita cosa»

Elvira tiene la vida que buscó, pero es infeliz sin saber por qué. Casada y con dos hijos, trabaja como diseñadora de moda. Desde hace unos meses, le duele con frecuencia la cabeza y se siente muy cansada, sin ganas de hacer nada. Elvira está enferma de culpa por los sentimientos de rabia inconscientes, que no puede reconocer. Nunca ha conseguido acercarse al ideal interno que quiere alcanzar para satisfacer a un padre que siempre la consideró de niña «mi poquita cosa». Así la llamaba. Hoy se dedica a crear prendas de moda para que las mujeres sean miradas. Compensa embelleciendo los cuerpos de otras la incapacidad de no poder valorar el suyo, porque todavía depende inconscientemente de la opinión paterna y no abandonaba del todo un lugar infantil que la hace seguir sintiéndose «poquita cosa».

Esto es lo que descubrió en una psicoterapia que la condujo a disfrutar más de la vida y comenzar a valorar su cuerpo. Somos el producto de cómo nos vemos.

Nuestra identidad comienza con esta pregunta: ¿quién soy yo para el otro? Al principio se trata de una interrogación dirigida a los padres. Si la respuesta no es satisfactoria, el narcisismo queda herido.

Las experiencias personales que favorecen el desarrollo de una depresión suelen tener que ver con algún fuerte desengaño amoroso en los primeros años de la vida o con unos padres que han desvalorizado el sexo o la personalidad de su hijo. Esta mirada paterna se interioriza y la persona se ve a sí misma como incapaz de llegar a un acuerdo entre lo que es y lo que quiere ser, pues nunca podrá satisfacer el deseo de aquellos padres. Así pues, se identifica con ellos y desde su interior se pide cuentas de su vida, pero siempre sale perdiendo. La agresividad que le produce depender de criterios que le hacen quedar en mal lugar es inconsciente. Sin embargo, esta agresividad, que a veces no puede reconocer, se advierte en el malestar que genera a su alrededor.

¿Por qué me deprimo si no me falta nada?

Muchas personas que parecen tener de todo (belleza, dinero, éxito...) pueden sufrir una depresión. Aunque parezca que no les falta nada, les falta lo esencial: una valoración propia para estimarse lo suficiente como para no depender demasiado de la opinión ajena. Una de las causas del abatimiento es la dependencia del juicio del otro para el mantenimiento de la autoestima, si bien es el juicio propio el más devastador y crítico.

¿Qué hace que unas personas sean más propensas que otras a la depresión? ¿Cuál es su origen? ¿Se puede curar? ¿Hasta qué punto hay que considerarla una enfermedad?

Hay personas que son incapaces de disfrutar de lo que tienen y que parecen empeñadas en sacar el lado negativo de las cosas, como si disfrutaran con ello. A otras, en cambio, les da vergüenza reconocer que se sienten tristes, porque no hay motivo aparente para ello. Cuando nadie las ve, pueden llorar por los rincones.

Sentirse bien es el resultado de una percepción interna en la que la distancia entre quiénes somos y cómo deseamos ser no es demasiado grande. Nos encontramos a gusto dentro de nuestro cuerpo y podemos disfrutar de la vida.

¿Se deprimen más las mujeres?

Las mujeres, según datos de la Organización Mundial de la Salud, se deprimen más. Parece ser que entre el 9 y el 26% atraviesa por una depresión en algún momento de su vida, mientras que el porcentaje de hombres se mueve entre el 5 y el 12%.

La depresión es una enfermedad del alma que somete a quien la padece a un mortífero estado de pasividad. Suele ir acompañada de un sentimiento de desvalorización y de falta de deseo, como si se hubiesen perdido los recursos internos para manejarse bien en el mundo.

Se manifiesta bajo síntomas muy variados, aunque el denominador común sea una visión pesimista de la realidad y la pérdida de casi todos los apetitos. A veces va acompañada de irritabilidad, insomnio y apatía. La opinión que se tiene acerca de una misma cae por los suelos, y no es raro que aparezcan deseos de morir al abrirse un abismo entre cómo le gustaría verse y cómo se ve. En la persona deprimida, en fin, dejan de funcionar los mecanismos encargados de mantener el narcisismo en niveles de autoestima aceptables. Todo ello, sobre todo en las personas con tendencia a somatizar, tiene su reflejo en el cuerpo, con desarreglos que atacan a la parte más débil de cada una.

Las mujeres esperan mucho de sí mismas porque han interiorizado las exigencias que los cánones culturales transmiten. La depresión podría interpretarse, hasta cierto punto, como una protesta ante tanta obligación y tan poco placer: una inadaptación a lo que les rodea. Sobrecargadas de responsabilidades (casa, hijos, pareja, trabajo), se sienten culpables cuando fallan en cualquiera de estos ámbitos. Entonces se deprimen y no pueden hacerse cargo de lo que «deberían».

Las ideas que giran alrededor de una profunda desvalorización no siempre son conscientes. Hay que sacarlas a la luz e investigar cómo se formaron. Su génesis se encuentra en los momentos de nuestra historia en los que se formó la identidad. Este profundo rechazo a nuestro ser puede haberse producido, entre otras cosas, por la identificación con una figura desvalorizada, o por asumir el papel que otorgó algún ser querido que desvalorizaba lo femenino.

Si es este el caso, conviene hacer un cambio de las ideas y convicciones que tenemos sobre nuestra propia persona, ya que algunas de ellas son impuestas. Tenemos que empezar a construirnos de nuevo, pero esta vez desde nuestros deseos y dándonos la oportunidad de llegar a establecer un acuerdo que nos haga valorarnos y querernos. Es como empezar una nueva vida. Esta tarea de construirnos de nuevo es difícil, pero no imposible. Hay tratamientos que pueden dar cuenta de ello. El proceso suele ser largo, porque investiga complejos inconscientes que encierran verdades fundamentales del sujeto cuyo desconocimiento provoca síntomas y su acceso a la conciencia la liberación del sufrimiento.

Al final encontraremos la recompensa a nuestros esfuerzos. La depresión es una crisis de la cual se puede aprender y conduce a un cambio si se sabe escucharla.

En momentos particulares de la vida de una mujer puede aparecer una cierta depresión, por lo general asociada a conmociones corporales que evocan algo específico de la identidad femenina.

—Depresión premenstrual: se trata de un conjunto de malestares tanto fisiológicos como psicológicos que aparecen en las fases previas a la menstruación. La menstruación es para la mujer un recordatorio corporal de su condición femenina. Si llega a un acuerdo con su feminidad y se siente a gusto con ella misma, la tensión premenstrual suele desaparecer.

—Depresión posparto: después de tener un hijo se sufre, en ocasiones, una depresión que puede durar algunas semanas. Los síntomas son desgana, llanto, irritabilidad y dificultades en el cuidado del niño. No es raro que estos síntomas se reflejen en el bebé, pues la inseguridad ante la maternidad se halla en la base de la depresión de la madre.

—Crisis de la mediana edad: si el balance que se hace hacia la mitad de nuestra vida no es positivo, puede aparecer un sentimiento de injusticia y estafa que abruma y deprime. Predominan sentimientos inconscientes de rabia, resentimiento y hostilidad. Con frecuencia, el hombre aparece como el principal responsable de estas desgracias.

—Síndrome del nido vacío: se llama así al conjunto de síntomas que pueden aparecer cuando los hijos se van de casa y la mujer, que ha dedicado mucho tiempo al ejercicio de la maternidad, no sabe cómo reorganizar sus energías para seguir sintiéndose útil y valiosa.

—Menopausia y depresión: alrededor de los cincuenta, con las alteraciones hormonales, pueden aparecer síntomas como irritabilidad, nerviosismo y depresión. Si la mujer ha conseguido llevar la vida que quería y está a gusto consigo misma, los síntomas durarán poco.

ALTERACIONES DEL SUEÑO: EL INSOMNIO

El insomnio es un síntoma común a muchas mujeres. Algo ocurre en nuestro psiquismo para que, aunque estemos agotadas, no podamos conciliar el sueño.

La cama sirve para reparar el cansancio, pero nos deja a solas con nosotras mismas. Si nuestro psiquismo está demasiado cargado de preocupaciones y no logra controlar las excitaciones que esa carga representa, no es raro que suframos alguna alteración del sueño. Mientras dormimos y, aunque al despertar no nos acordemos, se liberan angustias y deseos reprimidos que habitan nuestro inconsciente. Nuestro «yo» (que en ocasiones se manifiesta para tranquilizarnos, con consideraciones del tipo: «No te apures, esto no es más que un sueño») no puede defenderse de todos esos impulsos que le asustan, por lo que intenta no soñar y, en consecuencia, no dormir.

Las perturbaciones del sueño se basan en la imposibilidad de un relajamiento interno. Hay condicionantes externos, como los ruidos, por ejemplo, pero hay otras causas de orden interno. Cuando ciertos conflictos del pasado no han sido elaborados adecuadamente, no es raro que se manifiesten durante el sueño o en los momentos que lo preceden, porque en esos instantes de soledad cobra un relieve especial todo lo íntimo. Soñar sin despertarse (a menos que se tengan pesadillas) constituye un modo de proteger el dormir. Pero para ello conviene haber perdido el miedo a los deseos inconscientes.

La repetición de determinadas pesadillas, cuando se ha sufrido un trauma, es una manera de ir desgastando la excitación sufrida. El «yo» más primitivo controla el mundo externo mediante la repetición activa de aquello que antes fue experimentado de forma pasiva. De esta manera puede ir paulatinamente elaborando el trauma psíquico.

El sueño presupone un estado de relajación. El organismo inundado de excitación es incapaz de relajarse. Resulta comprensible que a causa de cantidades de excitación no controladas uno de los síntomas más comunes sea el insomnio.

Algunas de las razones que producen alteraciones en el sueño son:

—Por intoxicación emocional: cuando nuestro psiquismo está sobrecargado de afectos que no han tenido ningún modo de expresarse, porque los censuramos, no es raro que aparezca el insomnio. Evitamos dormir para evitar soñar, pues durante el sueño podrían liberarse esos afectos. En los sueños se expresan todos aquellos deseos que hemos reprimido y censurado.

—Por estrés o cansancio excesivo: conviene protegerse de las demandas externas excesivas, que dejan sin energías. Para ello, hay que aprender a tolerar las limitaciones propias.

—Por una expectativa ansiosa: cuando se espera algún acontecimiento muy especial, en el que nos jugamos muchas ilusiones o intereses, es probable que el psiquismo no alcance el grado de relajación preciso para conciliar el sueño.

—Fobias al sueño: el temor a dormir delata el miedo a deseos inconscientes que pueden surgir durante el sueño. Este temor surge a menudo después de pasar por una pesadilla de efecto traumático.

—Por aniversarios del corazón: hay épocas de la vida y del año asociadas a acontecimientos sentimentales que nos han hecho sufrir. Si tales conflictos afectivos no se han elaborado bien, se reeditan, provocando, entre otros síntomas, el insomnio. Aunque no tengamos presentes de manera consciente ciertas fechas, el inconsciente no las olvida. En tales casos, se evita caer en el sueño para no soñar aquello que rechazamos.

Nuria: un lapsus revelador

Nuria se había quedado adormilada viendo la televisión hasta muy tarde. Cuando se despertó, todos se habían ido a la cama. Cada día retrasaba más la hora de acostarse. Era una forma de disimular las dificultades que tenía para conciliar el sueño y que aparecían justo en el momento de irse a la cama. Nada más acostarse se ponía a darle vueltas a las cosas del día y se desvelaba. Lo cierto es que tenía mucho trabajo y que a veces, a esta hora, se acordaba de su madre, fallecida de un infarto el año anterior. La recordaba quejándose siempre de lo que tenía que hacer. Nuria tenía cincuenta años y había oído que uno de los síntomas de la menopausia era el insomnio. Pero el de esta primavera era excesivo y le resultaba agotador. No lograba dormir una sola noche entera, pues se despertaba a cada rato. Comenzó a sentirse muy deprimida y acudió a una psicoterapia, en una de cuyas entrevistas, cuando enumeraba las dificultades con el sueño y la cantidad de vueltas que daba en la cama antes de dormirse, la psicoterapeuta le preguntó cómo había muerto su madre.

Nuria le contó que su madre había fallecido en la cama, de un infarto, mientras dormía, y que ella se la había encontrado muerta porque daba la casualidad de que estaba pasando unos días en su casa.

—Fue durante la primavera siguiente cuando me empezó a atacar el insomnio —añadió—, pero esto no tiene nada que ver con que yo no pueda «morir» en la cama.

Evidentemente, había tenido un lapsus. Había querido decir «dormir», no «morir». Continuó hablando, y aquel día salió relajada de la sesión. Lo más llamativo, con todo, es que esa noche durmió bien.

Lo que le había sucedido a Nuria, que luego entendió más claramente, era que se había acercado a poner palabras al miedo que no la dejaba dormir. El deseo de unirse a su madre, la identificación con ella y el dolor por la pérdida, se hacían presentes para Nuria en el primer aniversario de la muerte de su madre. No quería dormir porque le aparecía un deseo inconsciente de estar como su madre: muerta, pues de ese modo dejaría de sentirse sola y de luchar. No quería dormir porque no quería morir, se protegía con el insomnio del deseo de reunirse con ella. No había elaborado el duelo por la pérdida de su madre.

ADICCIONES

Se puede ser adicto a determinadas sustancias o acciones, a la comida, a los medicamentos, a las compras, al juego, al tabaco, al sexo, a las relaciones amorosas... También se puede sufrir dependencia de las nuevas adicciones: el trabajo, el dinero, Internet, la televisión... Se recurre a comportamientos adictivos cuando ciertos acontecimientos nos perturban de una manera inhabitual y la reflexión no alcanza a dominarlos. Ahora bien, si ese objeto, sustancia o persona que buscamos para calmarnos se convierte en indispensable para el bienestar y la dependencia es extrema, entonces es que se sufre una adicción. La palabra «adicción» proviene del latín *addictus,* que significa esclavo. Su víctima está encadenada a ese objeto al cual se le atribuye propiedades mágicas y cree que va a resolver su problema; nunca lo hace. Calma el malestar de momento, pero la ata a él, volviéndola más dependiente.

La adicción es una enfermedad. Este modo de actuar responde al intento de solucionar una tensión interna muy alta. Los adictos buscan liberarse de estados afectivos conflictivos que no tienen posibilidad de nombrar con claridad. Sentimientos de cólera, incertidumbre, aislamiento, culpabilidad o depresión se adormecen o se neutralizan cuando se acude a la solución adictiva.

Las personalidades más propensas a padecerla tienen poca tolerancia a la frustración y son incapaces de controlar sus impulsos. Una de las causas de las adicciones tiene que ver con la calidad de las primeras relaciones entre madre e hijo. Según el pediatra y psicoanalista inglés D. Winnicott, una madre tiende a sentirse fusionada con su bebé durante las primeras semanas, pero subraya que si el deseo materno de confundirse con el lactante continúa más allá, la interacción se vuelve patógena para el niño. Si el bebé tiene que cubrir vacíos internos de la madre, esta inhibirá inconscientemente la autonomía del niño y a través de los miedos que sufra, y que transmitirá al pequeño, provocará una relación «adictiva a su presencia» y a sus cuidados. En realidad, es la madre la que depende del bebé.

Este tipo de relaciones patológicas suele darse menos cuando el padre cumple un papel importante para la madre. De ahí la importancia de la figura paterna en la estructuración psíquica del niño. En los primeros meses, el niño busca objetos que la madre le da, porque le proporcionan su bienestar y le alivian la tensión.

Estos objetos sustituyen su presencia, pero, poco a poco también podrá prescindir de ellos porque interiorizará la función materna y aprenderá a cuidarse. Cuando en los primeros años de vida el niño no es cuidado y contenido suficientemente, se corre el riesgo de que no pueda constituir en su mundo interno la representación de una instancia materna, y luego paterna, con capacidad para contener y manejar sus estados de sufrimiento psíquico. Entonces recurrirá a buscar en el mundo externo una solución que falta en su mundo interno para aliviarle. Ahora bien, ese objeto o solución que busca solo alivia momentáneamente su tensión afectiva porque es una solución somática y no psicológica. Así pues, la personalidad dependiente se gesta en la infancia y madura en la adolescencia. Se trata de un proceso de individualización que ha fallado, en el que son determinantes los vínculos afectivos. Cualquier adicción se puede tratar psicológicamente. Antes hay que reconocer que existe el problema, pues normalmente se desarrollan mecanismos de defensa para ocultar el sufrimiento y negar la existencia del conflicto. La recuperación suele ser larga, debido a que su constitución debe buscarse en conflictos que se han producido en los primeros años de la vida.

Adictas a los romances

La tendencia irrefrenable a mantener un romance tras otro tiene en su base la misma causa que cualquier otra adicción: una necesidad imperiosa de que algo venga a cubrir un vacío interno que se vive como insoportable. En este caso ese «algo» es otra persona, que con frecuencia es tratada como un objeto porque el adicto intenta llenarse con lo que el amado tiene para darle. Este amado es colocado en un pedestal, aunque para no caerse de él ha de suministrar continuas muestras de afecto a su adicto, que busca sobre todo «ser amado». Y aunque el adicto cree que pone mucha energía en la relación, porque cuida los detalles y se preocupa por conseguir un ambiente que le sirva para «colocarse» y tomar su «dosis» amorosa, en realidad no contribuye en la parte que corresponde al buen entendimiento de pareja. No presta mucha consideración a los sentimientos del otro y exige sin embargo mucha comprensión para los suyos. Sus relaciones están mezcladas con rasgos de identificación que a veces se tornan masivos, por lo que no reconoce las características del otro: no lo ve en su diferencia. En realidad, lo trata como si fuera un espejo en el que se mira y al que no tolera fallo alguno. Por esta razón tiende a cambiar de objeto amoroso con frecuencia, porque no hay «espejo» capaz de procurarle la satisfacción que necesita. Tarde o temprano, el otro falla reflejando así lo que el adicto al romance no soporta de sí mismo. Entonces, huye.

El sexo es para estas personas un medio de procurarse la «dosis», pero no es lo más importante: siempre está al servicio de conseguir una historia romántica.

Una función que cumplen con frecuencia los romances es la de ayudar a huir de una realidad a la que no se le puede hacer frente o que ya no satisface como al principio. Tras años de relación de pareja aparece con frecuencia un romance porque no hay vida cotidiana que no desgaste. Cuando este desgaste es alto, se inventa una historia fantástica que nos aleja de lo prosaico de nuestra vida y de la falta de valor para enfrentar los problemas. Los romances no sobreviven si la idealización que se produce al principio no da paso a una lectura de las características del otro que se ajusten a su verdad y no a la nuestra.

Idealizar a un hombre conduce con frecuencia a intentar cambiarle para que se adapte a nuestras necesidades inconscientes, lo que nos lleva a desconocerle en una medida semejante a la que nos desconocemos a nosotras mismas.

No podía vivir sin él. Se le hacía difícil respirar sin su presencia y suspiraba a cada rato como una adolescente enamorada. Así se sentía Ángela desde que Jaime se había ido de viaje, hacía ya dos semanas. Era la primera vez que se separaban y a ella le empezaba a pesar la distancia. Había tenido varios romances que habían acabado pronto, pero esta vez sentía que era diferente. Jaime era tan romántico como ella. Sensible y detallista, siempre la obsequiaba con alguna palabra amable, con una sorpresa. Con él se sentía distinta y mejor. Las relaciones sexuales eran también muy buenas porque ningún otro hombre había sabido reconocer la importancia que para ella tenía el romance.

Ángela disfrutaba preparando escenarios en los que el encuentro tuviera los ingredientes que le hacían permanecer enamorada. Esta vez había organizado en casa una fiesta para celebrar su aniversario. Hacía nueve meses que estaban juntos, lo que era todo un récord para ella. Quizá por eso temía que ocurriera algo que estropeara su felicidad. Y ocurrió, tal como lo venía presintiendo, pues Jaime telefoneó anunciando que retrasaba su vuelta unos días y echando por tierra la sorpresa que Ángela le había preparado. No le dijo nada pero después de colgar comenzó a pensar que Jaime ponía su trabajo antes que su relación. Podía posponer la fiesta, pero ya no coincidiría con la fecha de su primer encuentro. De golpe, Jaime se había caído del pedestal en el que ella misma lo había colocado por no responder a la ilusión que había puesto en aquella celebración. Le reprochaba no haber «adivinado» que ella quería festejar su aniversario. Enseguida comenzó a pensar que este hombre no iba a ser el que ella estaba buscando. Quizá entraría a formar parte de la larga lista de amores que había tenido en su vida.

Ángela solo es tolerante cuando la otra persona responde a la ilusión que se hace sobre ella. No soporta ningún dato de la realidad que le obligue a asumir alguna frustración. La necesidad de que Jaime reconozca sus deseos sin tener que expresarlos le ayuda a reconocerse a sí misma como alguien valioso y único. Busca una unidad total con el otro porque ella se encuentra hecha pedazos. Nunca dejó de ver a su padre como a alguien despreciable, que no supo hacerse cargo de su familia. No pudo mirarlo de forma diferente a como lo hacía su madre y en cierto modo se identificó con él: en el fondo, lo que piensa de sí misma es que no vale bastante, por lo que puede ser abandonada en cualquier momento. Por esta razón necesita tanto que el otro la reconozca y demuestre continuamente que la quiere. Su autoestima está únicamente regulada por lo que le suministran desde afuera y nunca tiene suficientes dosis de demostraciones amorosas.

Compulsión a comprar

La necesidad de adquirir objetos sin control, además de hacer daño a nuestra economía, señala que nuestro mundo emocional está alterado. Este tipo de conducta tiene las características de cualquier adicción en la que la víctima vive dominada por impulsos que no puede controlar. En este caso, se siente empujada a adquirir ese objeto que calmará su tensión. Esta tensión puede provenir de un desacuerdo con su cuerpo: por ejemplo, no nos gustamos y creemos que esta ropa va a ayudarnos a estar mejor. Buscamos afirmarnos y que la imagen que vemos en el espejo nos guste. Buscamos fuera lo que no encontramos dentro. Si nuestro mundo emocional tiene una tormenta invisible, tratamos de atenuarla con algo tangible que tranquilice nuestros sentidos.

De estas características psicológicas sabe mucho la publicidad, que utiliza la imagen de la mujer para alimentar su deseo de mejorar.

Sofía: no se vuelve a ser joven

Sofía lleva días probándose vestidos antes de ir a trabajar y no se encuentra bien con ninguno. Ha salido dos tardes a comprarse ropa, pero una vez en casa, no le ha gustado nada. Se prueba varias prendas sin saber por cuál decidirse y, al final, se lleva la equivocada. Esto significa que volverá a la tienda para cambiarla, estableciendo así un círculo vicioso agotador. Se reprocha no saber comprar y también se irrita porque piensa que la moda está hecha para mujeres irreales. Hace poco fue a buscar a su marido a la oficina y varias jóvenes atractivas la devolvieron una imagen que cree estar perdiendo. Al observar cómo él miraba a esas chicas, pensó con tristeza que nunca volvería a ser joven y temió dejar de ser querida por no acercarse al patrón publicitario de moda. La situación actual remite a Sofía a otra infantil, que no ha sido capaz de organizar. Tiene una hermana pequeña que siempre fue, según ella, la favorita de sus padres. Muy estudiosa, guapa y de buen carácter, gozaba de una gran aprobación familiar. Por el contrario, ella era mala estudiante, rebelde y siempre pensó que sus padres censuraban su forma de ser. Pero ahora es Sofía la que se censura al imaginar que a su marido le gustan las chicas jóvenes más que ella. Las emociones que no puede nombrar le hacen estar irritada y sentir una tensión que vive como peligrosa y que intenta calmar inútilmente con las compras que realiza.

Lo que pretende reparar Sofía es su imagen interna deteriorada. Cree que no la quisieron porque no la aceptaron como era, interiorizando esa idea hasta el punto de que le parece imposible gustar. Es como si comprara la ropa para otra: esa otra que ella quiere ser pero que ya no es. Esta es la razón por la que se equivoca de prendas, porque compra para el ideal y no para sí misma. No es su cuerpo lo que rechaza Sofía, sino su identidad de mujer. Una identidad en la que nunca se sintió segura. Nuestro psiquismo esconde nudos afectivos que, cuando no podemos desatar, nos impulsan a realizar determinadas conductas que nos tranquilizan de momento. Siempre que en nuestro interior se desencadenan sentimientos que no podemos dominar, intentamos aplacar ese sufrimiento con algún objeto que compense la idea negativa que tenemos de nosotras mismas. La tensión que el bebé siente en el cuerpo cuando tiene hambre se calma con el alimento material, y también afectivo, que la madre le aporta. La tensión emocional que percibe el adulto se relaja cuando compra un objeto que le proporciona una forma más benévola de mirarse a sí mismo. Los objetos a los que nos agarramos sustituyen muchas veces un hombro en el que apoyarnos. La falta de representación interna se remedia con objetos que se pueden conseguir en el mundo externo.

Adictas al sexo

El exceso de sexo señala una identidad sexual con conflictos y carencias, una falta de recursos internos que no se puede soportar y se intenta compensar con multitud de relaciones que vengan a confirmar desde fuera lo que no se puede asegurar por dentro.

Los hombres que presumen de tener una gran actividad sexual confunden, sin saberlo, la cantidad con una carencia de calidad. Según el psicoanalista Otto Fenichel, el neurótico sufre de una incapacidad para la satisfacción, es impotente desde este punto de vista, y entonces, en su incapacidad de obtener un auténtico placer, aunque él puede creer que lo tiene, sigue intentándolo en muchas ocasiones con la esperanza siempre frustrada. Según este autor, estos hombres siguen atados a la figura materna. Cuando se sabe capaz de excitar a una mujer, surgen las dudas sobre las que todavía no ha puesto a prueba, cree que todas las mujeres pueden ser para él, no acepta que haya una que no. Detrás de esta problemática está la figura de la madre y la sustitución se hace infinita buscando un imposible.

Muchas mujeres hipersexuales pueden ser casi frígidas o, lo que es lo mismo, su falta de gratificación sexual hace que intenten una y otra vez una gratificación que no encuentran en la relación. Se puede buscar mucho sexo porque no se encuentra el amor, incluso porque se huye de él.

Siempre es más fácil poner el cuerpo que el corazón. Se puede comprometer el cuerpo para esconder el miedo a una intimidad que no se puede soportar.

En las personas adictas al sexo se descubre una agresividad hacia el *partenaire* sexual, ya que pueden llegar a no tenerlo en cuenta como persona. El hecho de que no consigan una satisfacción suficiente crea en ellas el deseo de alcanzar la inalcanzable satisfacción, forzando a la pareja y responsabilizándola del fracaso, cuando aparece.

La creencia en una satisfacción completa les produce temor. La defensa contra esa satisfacción absoluta es ser frígida.

Luisa: la necesidad de aventuras

Luisa hablaba con unas amigas a las que, como siempre, contaba su última aventura sexual. Fue en un hotel, mientras asistía a una reunión de la empresa. Se encargaba de organizar promociones para el turismo y viajaba bastante. Había estado casada, pero su matrimonio fue un fracaso. Su ex quería una pareja abierta y al poco de casarse le comenzó a proponer algunas cosas que le parecieron inaceptables. Ella consideraba importante la sexualidad en la pareja, incluso le gustaba la libertad, pero había límites que no estaba dispuesta a pasar. Se separaron.

Desde entonces, Luisa había tenido bastantes relaciones. Siempre comentaba con sus amigas lo bien que se lo pasaba y lo libre que se sentía. Cuando todo acababa, cada uno a su casa, sin exigencias ni dependencias: solo placer. El sexo era para eso. Lo cierto es que necesitaba aventuras;

es más, si algún fin de semana se quedaba sin relaciones sexuales, se encontraba mal. Pero según pasaba el tiempo, Luisa se encontraba más y más vacía. ¿Qué le pasaba?

Luisa trataba de paliar su falta de autoestima y confianza en sí misma como mujer imitando un modo de proceder que siempre se ha atribuido a los hombres. Su educación sexual fue un desastre, porque un día descubrió a su padre con la asistenta cuando la madre estaba embarazada. Ella quería mucho a su padre y no pudo entender aquello. El impacto fue grande. Más adelante trató de disculparle diciéndose a sí misma que ser promiscuo en el sexo era algo normal. Además, si los hombres lo eran (como lo había sido su padre), ¿por qué no lo iban a ser las mujeres? El sentimiento de vacío que Luisa sentía se debía a que ella utilizaba el sexo para tapar el desamparo en que su padre y su marido la habían dejado, para tratar de que no la traicionaran como a su madre. Buscaba sexo para conseguir amor, pero huía del amor por temor a la traición.

8
MANIFESTACIONES DEL CONFLICTO EN LA PERSONALIDAD

HIPERSENSIBILIDAD

La extrema sensibilidad puede estar señalando una férrea lucha interna que debilita la fortaleza que es necesaria para enfrentar los conflictos de la vida.

Las personas demasiado sensibles están desgastadas por un estrés emocional del que no son conscientes. Tienen sobre sí mismas un dominio relativo. Su «yo» está debilitado de tanta lucha interna, por lo que sienten cualquier estímulo externo con una intensidad exagerada.

Estrella: las razones de un maltrato

Estrella había salido de su casa un poco enfadada porque nada más levantarse había discutido con su madre, de quien le irritaba que le dijera constantemente lo que tenía que hacer. Siempre estaba encima, diciéndole que no se olvidara de esto, que si había hecho lo otro, etc. La verdad es que Estrella estaba cansada de tanta solicitud materna. Cuando llegó al trabajo, su jefe le pidió que buscara unos informes, algo que no le correspondía hacer a ella y, aunque fue a buscarlos, lo hizo de muy mala gana. Pensaba que no la consideraba lo suficiente.

Con frecuencia Estrella se sentía mal tratada, consideraba que las personas que la rodeaban eran casi siempre groseras y no la entendían. Hacía muy poco que había roto con su novio porque también le veía poco atento y creía que no la quería bastante. Cuando rompieron, él le había dicho que no era cierto que él no la tratara bien, sino que ella era de porcelana y pedía al otro demasiado. Estrella pensó en estas palabras cuando comenzó a echar de menos a su ex. Curiosamente, después de perderle fue cuando comenzó a valorarle y a deprimirse. ¿Por qué nadie la entendía? ¿Tendría razón su ex y era de porcelana? ¿Qué le pasaba a ella para estar siempre mal? Comenzó a preguntarse por las razones de su tristeza y decidió emprender una psicoterapia en busca de respuestas. Su extrema sensibilidad se había convertido en un rasgo de carácter que solo le producía incomodidad, cuando no sufrimiento.

En el tratamiento descubrió que se había identificado con un padre demasiado blando, que la había decepcionado desde su más tierna infancia. Ella, para superar la falta de apoyo de su progenitor, había considerado que la carencia de recursos paternos se debía a que él era muy sensible y de esta forma, cambió su decepción por una admiración que confundía debilidad con sensibilidad.

Cuando pudo asumir los sentimientos contradictorios y la culpa que sentía en relación a su padre, pudo dejar de identificarse con él. Reconocer de dónde venía su extrema sensibilidad la hizo más fuerte. Después del tratamiento su sensibilidad no era excesiva porque no estaba al servicio de ocultar movimientos inconscientes, sino al servicio de vivir sin el sufrimiento inútil que provocan los conflictos internos.

SUSCEPTIBILIDAD

Siempre está atenta a lo que de ella se dice. Una opinión adversa puede romper su precario equilibrio. En el trato con alguien de esta naturaleza se suele ir con cuidado para no enfadarle, para no ofenderle. Se le trata como si fuera de cristal. Pero lo que tiene de cristal es su psiquismo, sobre todo su «yo», que se encuentra aplastado entre la necesidad de reconocimiento externo y una crítica exigente e interna de la que no es consciente y que no le da tregua.

La mujer susceptible es muy severa consigo misma, pero no lo sabe y pone en los otros esa mirada crítica que le hace tanto daño. Para contrarrestar su baja autoestima se coloca en el centro de las miradas de los demás. Teme que digan algo referido a su persona en la misma medida en que lo desea. Necesita estar en el centro de atención del otro, le encantan los halagos, pero nunca se los cree tanto como las críticas.

Su equilibrio se rompe con facilidad y cualquier objeción expresada por otro puede enlazarse con ideas inconscientes cercanas al umbral de su conciencia. Estas ideas canalizan sentimientos propios acerca de sí misma, pero al no poder hacerlos conscientes se los atribuye al otro, del que piensa que quiere reírse de ella o hacerle daño. La herida por la que la susceptible respira procede del pasado y permanece sin cicatrizar: por eso es tan fácil ofenderla cuando se toca el tema apropiado.

Ana: un «yo» de cristal

Ana daba vueltas en la cama mientras la frase de su marido daba vueltas en su cabeza. Estaba nerviosa, dolida, se sentía furiosa con Antonio. Habían cenado con unos conocidos y durante la conversación él la corrigió dos veces porque pronunciaba mal el nombre de un político. Después de corregirla, añadió un comentario sobre las dificultades de Ana para seguir con acierto a los políticos de la época. Ella se quedó cortada y muy molesta.

Este comentario fue transformado por Ana en una verdadera afrenta. Pensaba que su marido la estaba llamando inculta, que la había dejado como una tonta y no se lo podía perdonar. ¿Por qué daba a esa frase de su marido tanta importancia? ¿Por qué se había convertido en una ofensa? En la familia de Ana no se tolera el error. Por eso, tampoco se felicita a nadie cuando hace las cosas bien, pues se considera que hacer las cosas bien es lo normal. Su padre es un abogado mediocre, que puso mucho empeño en que sus hijos tuvieran un alto nivel cultural para alcanzar el éxito que él no había conseguido. Ana siente cualquier objeción a su capacidad intelectual como si ya no fuera digna de pertenecer a su familia. En realidad, no se siente querida tal y como es; solo se siente exigida por un padre que no sabe aceptar sus limitaciones y utiliza a su hija para compensarle. Ella, por su parte, ha interiorizado respecto a sí misma una exigencia que no le permite relajarse.

Su deseo de complacer a ese padre es lo que la obliga a dar una imagen sin fisuras. Pero como eso es imposible, cuando aparece el más mínimo comentario proveniente de otra persona que apunte a una imperfección, su imagen interna se tambalea porque es una imagen falsa. Su «yo», como si fuera de cristal, se rompe y entonces pierde el equilibrio emocional.

Las mujeres demasiado susceptibles piensan poco en lo que el otro les dice y por qué se lo dice. Gran parte de sus enfados son fruto de malentendidos. Se apoyan en las palabras de los demás para potenciar los temores internos que tienen sobre sí mismas. Le dan vueltas y vueltas a lo que le ha dicho este o aquel, incluso les puede molestar lo que han oído a alguien que apenas conocen para torturarse pensando que no les tienen en cuenta o no les valoran lo suficiente.

Su identidad es muy poco consistente y carecen de criterio propio sobre sí mismas, por eso son tan dependientes de las palabras de los otros. No aceptan las críticas ajenas, porque no se sobreponen a ellas, pero tampoco los errores propios porque no soportan las carencias íntimas. Estas personas piden ser tratadas con la delicadeza con la que se trataría a un niño pequeño, un niño que todavía no ha comprendido que todos tenemos aspectos positivos y negativos, lados buenos y malos. Es probable que en su educación haya fallado una enseñanza que valorara todos los aspectos de su persona y se hayan sentido desprotegidas de una orientación paterna capaz de enseñarles a manejarse en el mundo.

La timidez

La persona tímida se oculta, pues le da miedo mostrarse demasiado, y con esa actitud provoca a veces la atracción de los otros, a quienes gusta esa aparente humildad y ese velo de misterio que proyecta sobre sí misma. Detrás de este velo hay con frecuencia problemas para aceptar una identidad sexual firme. En la adolescencia es cuando la timidez puede alcanzar un mayor grado, precisamente porque las inseguridades propias, que corresponden a saber comportarse como un hombre o como una mujer, hacen temer al otro sexo.

No saber qué hacer ante determinadas situaciones sociales y sentir el deseo de que se te trague la tierra, es más habitual de lo que se cree. Aquellos comportamientos que agrupamos bajo el término «timidez» responden, cuando funcionan de manera equilibrada, a un mecanismo psicológico saludable, que nos ayuda a ser prudentes ante situaciones desconocidas.

Ahora bien, cuando la intensidad de este malestar provoca una fuerte inhibición en las relaciones sociales o nos aleja de las personas que más nos interesan, nos encontramos ante un grado de timidez patológico que conviene resolver porque, además de hacernos sufrir, nos impide alcanzar aquello que queremos.

¿Cuáles son los orígenes de la timidez? ¿Hay distintas formas de ser tímido? ¿Puede superarse?

Los orígenes de la timidez se encuentran en esa etapa de la vida en la que dependemos completamente de otro. Más tarde, las imágenes idealizadas de los padres caen de su pedestal para convertirse en personas de carne y hueso, con limitaciones y defectos. En ese proceso el «yo» en formación se independiza, diferenciándose poco a poco de los que le rodean y aceptando sus límites. El psiquismo interioriza una forma de verse que tendrá relación con la forma en la que cada cual fue tratado por sus progenitores. Si esta fue intimidatoria o muy contradictoria, la víctima puede tener serias dificultades para estimarse a sí misma al no ser capaz de incorporar en su interior una relación armónica y protectora de sí. Lo mismo que le pasa consigo le ocurrirá con los demás, en quienes verá enemigos dispuestos a juzgarle de forma permanente. Los tímidos llevan dentro de sí la imagen idealizada de alguien al que adjudican mucho poder sobre ellos, un poder casi mágico, que se desplaza a otras personas que con frecuencia son desconocidas.

El tímido no encuentra el punto medio entre él y los otros, por lo que a veces percibe a los demás como intrusos que violan su intimidad. Actúa igual que el niño pequeño, que se asusta si un desconocido aparece de repente frente a él. Los padres sobreprotectores también fomentan la timidez de su hijo, pues no confían en que «su niño» tenga capacidad para resolver solo sus problemas.

Emilia: el deseo de ser mirada

Emilia tiene veintidós años y es muy tímida. Acaba de llegar a una fiesta a la que ha sido invitada por su amiga Laura, que ahora no aparece por ningún sitio. Cree que muchos la miran y teme que alguien se dirija a ella. Pero lo que más teme es encontrarse con él, aunque es lo que desea. Está muy nerviosa, en fin, y comienza a sentir palpitaciones.

De repente, ve a su amiga hablando en un grupo, en el que también se encuentra él. Respira profundamente y se dirige hacia ella con la determinación de no separarse de su lado hasta que se acabe la fiesta, a la que acudió porque su amiga le dijo que le presentaría a un chico que le gusta y al que teme acercarse. Solo con pensar en dirigirle la palabra, se le ponen las mejillas coloradas. Jamás se atrevería a hacerlo, por eso necesita que su amiga la ayude.

La madurez emocional de Emilia es pequeña y así se siente ella, como una niña que necesita la autorización materna (su amiga es la que cumple esta función) para acercarse a un chico. La idea, en apariencia incómoda, de sentirse observada cuando entra en un sitio, corresponde en realidad a un deseo inconsciente de exhibirse y de ser reconocida y admirada por los demás. Es un deseo infantil que busca el reconocimiento externo como medio para afirmarse y sentirse importante para los que la rodean. Emilia, como le sucede a algunos tímidos, se conoce poco, y es incapaz de reconocer los deseos que guarda dentro de sí.

Cuando el tímido averigua lo que en realidad ocultan sus temores, deja de tener miedo a los demás, pues también ha dejado de tener miedo de sí mismo.

El miedo de la tímida a lo que diga el otro esconde un deseo que le es desconocido: el de la ilusión de que se puede ser perfecta. La tímida se siente pequeña, diminuta, insignificante, porque su deseo de ser reconocida como alguien potente, que deja extasiado a los demás con sus palabras o sus actos, es tan grande que la bloquea.

Tras ese temor a que la vean, se esconde sin embargo el deseo de exhibirse y que la quieran. La tímida pide un imposible y no se atreve a reconocerse imperfecta, pero «querible».

Su deseo de dejar a los demás con la boca abierta no le deja abrir la suya. Aprender a ser tolerante con ella misma es el primer paso para dejar de tener miedo al otro y salir de la prisión que la timidez impone.

El perfeccionismo

Persigue lo perfecto, busca lo mejor, se exige mucho a sí misma, pero nunca está contenta. La insatisfacción le acecha porque la mujer que es demasiado perfeccionista huye en realidad de una inepta que lleva dentro y a la que detesta. Por esta razón, nunca será lo bastante buena, haga lo que haga, para compensar la idea que tiene de sí.

La ambición de mejorar en la vida es tan saludable como gratificante, pues podemos disfrutar con lo que conseguimos para nosotras y para los demás. Pero cuando lo que se hace contiene una exigencia extrema, que solo deja ver los fallos cometidos, nos encontramos ante una perfeccionista. Una mujer así puede convertirse en alguien molesto para ella misma y para los que la rodean, pues suele ser intolerante con los fallos ajenos.

La persona que tiene como rasgo de personalidad el perfeccionismo convierte casi todo lo que hace en una obligación y deja poco margen para el placer. Sus aspiraciones no tienen por lo general objetivos posibles, pues persigue lo inalcanzable y carga el acento en las metas más que en el proceso de realización. No vive ni trabaja para sí misma, sino para una mirada exigente que siempre le criticará porque las cosas nunca están lo bastante bien hechas. Es una pesimista que trata de borrar lo imborrable: la imperfección que padecemos todos los humanos.

Tiene dificultades para aceptar sus límites y no se quiere nada, de ahí que se castigue si se equivoca. Lo pasa mal cuando comete cualquier fallo porque no acepta la debilidad. Carente de toda piedad para consigo misma, y con frecuencia también para los demás, sabe sufrir pero no sabe ser feliz.

La perfeccionista mantiene dentro de sí a una niña tiránica que no ha aprendido que el amor no solo guarda relación con lo que el otro tiene, sino también con lo que le falta. Mantiene en su psiquismo la idea de que si comete fallos, nadie la querrá. Pone tanta energía en ser perfecta, que olvida que los demás no solo no lo son, sino que tampoco quieren serlo.

Antonia: la carencia afectiva

Antonia intenta hacer las cosas lo mejor posible, pero nunca se siente satisfecha. Siempre encuentra algo que podía estar mejor hecho. Lo peor es cuando alguien le señala que ha tenido un fallo, lo que afortunadamente ocurre pocas veces. Hoy ha llegado a casa desesperada. Se había matriculado en un curso para aprender inglés, pero en la primera ocasión que tuvo para hablar delante de sus compañeros, se quedó muda, temiendo no expresarse bien. La angustia no le permitió pronunciar una sola frase. Por un momento pensó no volver al curso, pero Antonia no es de las que huyen de los problemas: tenía que enfrentarse a ello y resolver su situación.

La escena que angustiaba a Antonia guardaba relación con la intolerancia a mostrar sus imperfecciones, sus carencias. En realidad, su carencia fundamental es afectiva. No se quiere a sí misma cuando falla. La exigencia respecto a sus acciones resulta patológica. Es tan perfeccionista como intolerante ante sus debilidades. De alguna manera, recibió el mensaje de parte de sus padres de que para ser querida tenía que ser perfecta, misión imposible que conduce a un destino neurótico. Este pedido por parte de los padres responde a un intento de resolver en los hijos problemas que ellos no han podido elaborar por falta de recursos psicológicos. Cuando se sienten muy defraudados en sus realizaciones vitales, e incapaces de alcanzar acuerdos con lo que esperaban de sí mismos, transmiten inconscientemente a los hijos el deseo de que compensen sus fallos. Los hijos son especialmente sensibles a identificarse con los padres en los primeros años de su vida, identificación que se hace por amor y porque aún no se tiene una identidad formada.

Si se recibe el mensaje de que para ser querido no se deben cometer fallos, algunos hijos tratarán de cumplir aparentemente el deseo paterno, aunque en el fondo se identificarán con sus progenitores en sentirse poca cosa, que justo es aquello de lo que los padres trataban de escapar. Lo que los padres se niegan a aceptar de sí mismos lo recogen los hijos, pues estos se convierten, a veces, en depositarios de las frustraciones parentales.

La perfeccionista no se ha sentido querida por sí misma. Entonces tiene que intentar por todos los medios que su baja autoestima no llegue a la conciencia: intenta evitar que aparezca ese fallo que la convertiría en alguien a quien no se puede querer.

Detrás de una persona muy perfeccionista se oculta una insatisfecha perpetua, alguien que se siente a disgusto consigo mismo porque no ha conseguido ser tolerante con sus dificultades. Nadie le enseñó a quererse, a aceptar sus debilidades ni a ponerse límites sensatos. Si consigue aprender a relacionarse con la parte que niega de sí misma, se sentirá imperfecta, pero más feliz.

La desconfianza

La mujer que desconfía demasiado de los otros ha sido, con frecuencia, víctima de una decepción que ha marcado su vida. Por este motivo, piensa que todos la van a decepcionar. Es probable que viviera en la primera infancia, cuando aún era muy vulnerable, frustraciones demasiado severas por parte de las personas cercanas, por lo general, sus padres. Como le han fallado personas tan importantes y en momentos tan decisivos, cree que el mundo se comportará igual.

El ser humano viene al mundo con una dependencia absoluta. Su supervivencia biológica y su bienestar psíquico dependen de los adultos que le rodean. Si los padres no pueden atender a la niña cuando sufre situaciones de pesar, o tardan mucho en darse cuenta de sus necesidades afectivas, le quedará una percepción del mundo un poco alterada y desconfiará de que exista alguien que le pueda entender y en quien pueda confiar. En otras palabras: se queda en alguna medida fijada a ese modo de vínculo con unos padres que no supieron entenderla. La maduración psicológica pasa, en los primeros años de vida, por una situación muy especial, que determinará el mayor grado de confianza o desconfianza que tengamos hacia los demás. Se trata del proceso de desidealización de los padres, que se da en torno a los cuatro a cinco años y que más tarde se reedita en la adolescencia.

Los niños idealizan tanto al padre como a la madre, pero pronto descubren que no son tan poderosos como ellos creían, que tienen limitaciones, que no les pueden dar todo lo que quisieran. Les fallan, en alguna medida, y les decepcionan. Entonces dejan de confiar en la omnipotencia de sus progenitores para pasar a descubrir, junto a sus debilidades, su lado más humano.

Si el proceso se produce dentro de unos límites razonables, la decepción es tan necesaria como positiva. Cuando se aceptan los límites de los padres también se acepta lo que la realidad les impone. Las personas muy desconfiadas, por el contrario, ni miden ni aceptan los fallos ajenos. Se fijan, sobre todo, en los errores. Son demasiado exigentes y siempre esperan más de lo que encuentran.

Iciar: el apego materno

«Ten cuidado», le repetía machaconamente su madre siempre que salía de casa con sus amigas adolescentes. A ella le molestaban estas palabras porque, aunque no le explicaban de qué o de quién debía protegerse, sabía a qué se refería. Debía tener cuidado con los chicos y con su propia sexualidad. El malestar que durante toda la adolescencia le produjeron estas palabras dio paso a un rasgo de carácter que marcó sus relaciones con los demás.

La madre de Iciar era una mujer miedosa e infantil, que se apoyaba demasiado en su hija e, inconscientemente, tenía miedo de perderla. Por esta razón pensaba que todo lo que Iciar encontrase fuera de casa podría dañarla. Quería que permaneciera a su lado y no tuviera ninguna relación que la llevara a la independencia. Paradójicamente era una mujer en apariencia muy segura y trabajadora. Durante su infancia, Iciar esperaba que su madre llegara de trabajar para contarle todo lo que le había pasado en el día. Eran muy «buenas amigas», de lo que su madre siempre había estado orgullosa. Sin embargo, era una madre que solo le gustaba ser amiga de su hija, pero que no cumplía con las funciones maternas.

En una psicoterapia a la que Iciar acudió para resolver una fobia que casi le impedía salir de casa, descubrió que su infancia había estado marcada por un sentimiento de abandono en relación a su madre. El miedo a salir a la calle ocultaba su deseo de responder al deseo materno de quedarse junto a ella, complacerla y no construir un mundo propio por fuera de ese vínculo tan estrecho. Su madre se había convertido en la única persona en la que podía confiar.

La queja

Hay mujeres que amargan la vida de los que les rodean porque son lastimeras y quejicas, parecen tener más desgracias que nadie, siempre están hablando de lo que no les va bien. Cuando la queja está justificada, es saludable y permite poner en marcha un cambio para mejorar lo que no funciona. Ahora bien, cuando se convierte en algo habitual acaba creando malestar a los que le rodean. ¿De dónde viene tanta queja? ¿La queja puede ser el disfraz de una violencia escondida?

El lamento rescata lo peor de la vida desde una posición pasiva, va dirigido a otro que, por lo general, escucha e intenta ayudar sin saber que esa queja es el disfraz de un sentimiento no dicho, un ataque a todo aquel que este dispuesto a oírle.

La violencia y la agresividad que hay tras una queja continua se hacen notar en esas personas a las que todo les parece mal, sufren más que nadie y siempre están reclamando atención sobre lo que les pasa. Curiosamente, siempre les ocurre algo malo, así tienen por qué quejarse. Estas personas acaban creando un ambiente tenso e incómodo porque buscan, aunque no se dan cuenta de ello, que algo vaya mal para no enfrentarse a lo que son incapaces de cambiar: ellas mismas. Son demandantes y, en una posición infantil, esperan que el otro les resuelva la vida, porque ellas se colocan en la posición de víctimas que padecen lo que no funciona. Las quejicas esperan que personas con más poder y autoridad arreglen el mundo que funciona mal. Los quejicas son niños insatisfechos que demandan en exceso a los padres pero siempre sienten que no es suficiente lo que se les da.

Lourdes: «Tan amargada como tu madre»

No había día que no le doliera la cabeza. Cuando llevaba a sus hijos al colegio, ya se encontraba cansada. Sin embargo, aún le esperaba una larga jornada llena de quehaceres que la aburrían. Cuando llegaba a la oficina, se encontraba con su compañera que no hacía más que quejarse de todo, y se mostraba malhumorada e irritable, así que ella, para intentar calmarla, acababa haciendo más cosas de las que le correspondían. Cuando llegaba a su casa, después de recoger a los niños, comenzaba a esperar con impaciencia que llegara su marido para ver si la acompañaba en la tarea de vivir, si la ayudaba con los niños, si la escuchaba un poco. Pero no, él llegaba muy tarde y contando todas las dificultades que había tenido en su trabajo, quejándose de su jefe. Siempre se había preguntado por qué los hombres hablan mucho más de su trabajo que las mujeres del suyo, al menos eso le parecía a ella. Él no solía preguntarle cómo le iba en la oficina, sin embargo, ella sí escuchaba todos sus contratiempos. Ella comenzó a quejarse: le dolía la cabeza, le dolía la espalda, el niño se había portado mal, su padre estaba enfermo... Comenzó a señalar las dificultades que sufría al día en forma de queja. Entonces él, molesto por esa actitud que solo ve en ella, le dice:

—Desde luego, pareces una amargada, siempre te estás quejando, cada día te pareces más a tu madre.

Le dolió, pero no dijo nada. Así que ella escuchaba las quejas de todo el mundo, pero no podía expresar las suyas. La rabia que le produjo fue tal que pensó en separarse. Entonces comprendió que sus quejas eran una forma de protestar por la indiferencia de su marido. Ella también necesitaba que la escucharan, que la cuidaran, que valoraran su esfuerzo.

Decidió dejar de quejarse y replantearse la vida. Nadie la podía sacar de ese estado de insatisfacción si ella misma no encontraba qué quería hacer para encontrarse a gusto. Decidió cambiar de oficina y comenzar a estudiar Historia, que era lo que le gustaba. Le dijo a su marido que tenían que repartirse el cuidado de los niños porque necesitaba dos tardes a la semana para ella. Dejó de quejarse y comenzó a promocionarse. Cambio la queja por una búsqueda de un camino personal que le proporcionara más bienestar.

El resentimiento

Emociones como la rabia, el resentimiento, el odio o la venganza provocan la mayoría de los conflictos que sufrimos. La forma de liberarnos de ellos es comprender por qué se producen. Y conviene intentarlo porque a diario nos enfrentamos a situaciones en que podemos ser el blanco de la agresividad de los otros o, al contrario, ser nosotras las que sentimos hostilidad y rabia hacia alguien. Después de haber sufrido una escena violenta nos sentiremos mal o bien en función de que nuestra respuesta haya sido proporcionada y justa al estímulo recibido (ayudándonos a liberarnos de una tensión interna), o al revés.

Las actitudes agresivas sirven para defenderse y para atacar. Cuando se alcanzan determinados grados de agresividad, algo se ha descontrolado. Efectivamente, así es. Los impulsos destructivos que están en todos y cada uno de nosotros son los que se han puesto en marcha en ese momento. Su origen se encuentra en la infancia, cuando el «yo» lucha por abrirse paso y afirmarse frente a los que le rodean. Su agresividad es poner fin a las situaciones incómodas, aunque no persigue la destrucción. En el proceso de maduración estas actitudes agresivas infantiles son orientadas por los padres y encauzadas por la educación. De esta forma aprendemos a canalizar toda la rabia que las frustraciones de la vida nos producen en una fuerza constructiva, sin dañar a otro ni a nosotras.

Cuando la evolución de los instintos es adecuada y la persona alcanza la madurez afectiva, utilizará la agresión como recurso, sea para lograr sus objetivos, si se enfrenta a circunstancias adversas, sea para defenderse y proteger a los suyos. Ahora bien, si en el proceso de maduración el niño se ha tenido que enfrentar a padres violentos, madres que no han sabido protegerles, una educación demasiado autoritaria o cualquier otra circunstancia que haya dañado su estima, su inconsciente será depositario de semillas violentas que más tarde actuarán a lo largo de la vida. Repetirá situaciones donde la violencia esté presente por identificación con alguno de los progenitores, al no haber podido constituir un «yo» autónomo, una subjetividad propia que le permita separarse de aquel en el que se aliena. La persona agresiva esconde dentro de sí un niño asustado al que odia. Por el contrario, aquella que se lleva bien consigo misma no suele ser violenta porque un «yo» fuerte no necesita afirmarse contra otro.

Nos guste o no, la impronta que nuestra familia nos deja es determinante para manejar los impulsos agresivos. Con frecuencia, tomamos conciencia de ello cuando formamos pareja o tenemos hijos, pues es en esas relaciones en las que vamos a repetir lo que aprendimos. ¿Por qué repetimos? Por paradójico que parezca, lo hacemos por amor. El niño siempre está hambriento de amor, necesita calor y afecto para sobrevivir y puede soportar explotación, golpes e insultos con tal de no sentirse abandonado. Pero luego olvida y reprime lo vivido porque tiene miedo de que los resultados de la investigación en sus recuerdos le hagan perder el amor que tuvo por sus padres.

Las marcas de nuestra historia personal están siempre mezcladas con las influencias culturales, que parecen ser distintas según los sexos. A la mujer se le censura más cualquier expresión violenta y se es más benevolente cuando son los hombres los que la practican.

Rocío y Jorge: ecos del pasado

Rocío ha vuelto a discutir con Jorge. Cada uno de ellos se ha sentido agredido por el otro. Últimamente les ocurre con frecuencia y el motivo casi siempre es el mismo: el cuidado de sus dos hijos. Rocío cree que él no se implica como debiera en la educación de los niños y está resentida con él por ello. Jorge también se encuentra mal, porque, haga lo que haga, siempre es criticado por su mujer. ¿Por qué, si ambos quieren a sus hijos, no aceptan que cada uno pone lo que puede? ¿Por qué no se apoyan más en esta tarea que tienen en común? Pues porque ambos ignoran cómo su historia se actualiza en la relación con sus hijos.

El resentimiento que les invade después de los enfrentamientos evoca una situación emocional que viene de lejos. Rocío tiene un padre en el que nunca se pudo apoyar. Violento y bravucón, escondía una personalidad infantil que produjo en su hija una sensación de abandono que ahora le evoca Jorge. Él también padeció la figura de un padre ausente con el que no era fácil identificarse y del que su madre tenía una mala opinión. Rocío reprocha demasiado porque intenta compensar su historia infantil. Jorge exagera su crítica porque le devuelve la imagen de un padre irresponsable que le recuerda al suyo. Entonces él se aleja y Rocío revive su pasado. Él hace lo que no quiere y ella provoca lo que detesta.

No poder perdonar

No perdonar significa permanecer sometido al enemigo, enganchado a las emociones que ese otro nos hace sentir y que ocultan sentimientos y deseos no aceptados. Cuando se es incapaz de perdonar una agresión, cuando uno no puede librarse del sentimiento de rencor hacia otro, es porque está unido a él por razones que ignora y que se ocultan tras la agresión padecida. El que no puede perdonar está prisionero del pasado e hipoteca en cierto modo su futuro.

Los padres son, inevitablemente, idealizados durante la infancia, pero más adelante hay que humanizarlos y perdonarles sus defectos, lo que significa aceptar sus limitaciones. Con frecuencia, sin embargo, los juzgamos severamente y no soportamos sus imperfecciones porque aún no nos hemos desprendido de las idealizaciones infantiles. Cuando perdonamos a nuestros padres y los queremos como son, y no como a nosotros nos hubiera gustado que fueran, hacemos las paces también con los fallos propios que tanto nos cuesta asumir.

Micaela: no podía perdonarle

Micaela pensaba que no podría perdonar lo que él le había dicho. Lloraba en la cama y, desesperada, entre hipos y suspiros, se decía: «Bueno, ya está bien, no es para tanto, cálmate, deja de llorar». Al final, acabó consolándose con sus propias palabras. Se trataba a sí misma como lo que era: como una niña que no se atrevía a reconocer el miedo permanente que sentía a ser abandonada. Una niña atrapada entre emociones que eran más poderosas que su razón, entre sentimientos que no podía controlar y acababan dominándola, haciéndola presa de una angustia incontrolable.

Acababa de discutir con su pareja. Todo había empezado por una tontería. Sin embargo, tras la bronca se encontraba una angustia que ella no quería reconocer: el desamparo que sentía cada vez que su marido se marchaba de viaje. No podía decir que estaba harta de tantas salidas, porque el trabajo de su marido requería viajar, pero a ella no le gustaba lo más mínimo. Su cabeza le decía que era lógico y razonable lo que él hacía, pero su corazón protestaba y últimamente, cada vez que se iba de viaje, la discusión se desencadenaba tarde o temprano.

Micaela no toleraba a la niña que llevaba dentro de sí, que era una niña triste y obsesionada con la idea del abandono. Cuando contaba con tres años de edad, sus padres se habían separado. Luego, su padre se fue a vivir a otra ciudad, donde formó una familia. Micaela sintió mucha rabia hacia él y nunca le perdonó el poco interés que había mostrado por ella. Pero tampoco podía perdonarse a sí misma, ya que, como suelen hacer los hijos pequeños, se culpaba de aquella separación por los intensos sentimientos que experimentó hacia su padre.

Así pues, Micaela repite en la relación de pareja algo muy antiguo, que se pone en marcha cada vez que se tiene que separar de un hombre al que quiere. Temiendo ser abandonada, convierte ese miedo en rencor hacia él y, más tarde, hacia ella misma porque cree que la abandonan debido a que no la quieren bastante. Y no la quieren lo bastante porque no se lo merece.

Dejar todo a medias

A veces no se consigue acabar la mayoría de los proyectos que se empiezan. Se abandonan a medias. Esta tendencia se manifiesta en diferentes aspectos de la vida. Afecta a proyectos personales y a planes profesionales, pero también a las relaciones amorosas. ¿Qué es lo que impide llevar a término un objetivo?

Son varios los motivos que pueden empujar hacia esta actitud. En principio, no terminar algo puede alentar, de forma inconsciente, la fantasía de que el tiempo no pasa, sobre todo cuando se regresa de forma recurrente a lo abandonado para abandonarlo una vez más. A veces, la interrupción delata el miedo a fracasar. Se teme constatar que lo realizado no se ajusta cien por cien a lo que se esperaba. Se prefiere la incertidumbre a la decepción. En general, se trata de personas cuya intransigencia consigo mismas las conduce a la parálisis.

En otras ocasiones, lo que les impulsa a dejar a medias un proyecto es el miedo al éxito, un sentimiento de culpa inconsciente actúa como autocastigo que determina la interrupción.

Además de todo lo apuntado, lo cierto es que al completar algo descubrimos nuestros límites y comprobamos que todo tiene un final, incluso nuestra vida. Aprender a despedirnos y a separarnos resulta indispensable para acabar algo y comenzar lo siguiente. Mientras estamos realizando un proyecto es, sobre todo, nuestro. Cuando lo terminamos, podemos compartirlo con otros. Es fundamental saber separarse de lo hecho y aprender a valorarlo como algo que no nos pertenece en exclusividad.

Si durante la infancia alguien valoró nuestros esfuerzos, ayudándonos a interiorizar que nuestras conquistas eran apreciadas, es probable que tengamos facilidad para terminar lo emprendido. Si nadie los estimó, o fueron menospreciados, quizá no queramos repetir la experiencia de comprobar que lo que hacemos no gusta a quienes nos rodean.

En cualquier caso, lo que representa para cada persona terminar un proyecto es lo que interviene de forma determinante para acabar o no acabar las cosas.

Raquel: no soporta los finales

Raquel siempre tenía empezadas muchas cosas a la vez: ordenar armarios, retirar objetos inservibles, un vestido para su hija... Con frecuencia, no acababa ninguna. Y no le importaba. Había desarrollado una curiosa habilidad para dejar las cosas a medias.

Terminar las tareas emprendidas significaba, en cierto modo, despedirse de ellas, y Raquel no soportaba las despedidas. Ella atribuía su inconstancia a una falta de confianza en sí misma, aunque en otros aspectos de la vida se arriesgaba y no se dejaba intimidar con facilidad. Decidida y emprendedora, su trabajo le venía como anillo al dedo, pues era creativa de publicidad y su función era parir ideas que otros llevaban a cabo. A Raquel, lo que le gustaba era ponerlas en marcha.

Sus dificultades para acabar algo no tenían otro objeto que evitar una sensación de desamparo que vivió de pequeña y que estaba asociada a una separación, a una despedida que la marcó. A esa edad, y debido a conflictos familiares, tuvo que alejarse de su madre y peregrinar por casas de familiares. Cada vez que se volvía a separar de algo, reeditaba aquella separación original y el desamparo consecuente. Los finales le producían angustia y la hacían sentirse frágil, de ahí su resistencia a terminar lo que emprendía.

LLEGAR SIEMPRE TARDE

La impuntualidad sistemática es una falta de cortesía para el otro, pero también es un rasgo neurótico que delata un pedido excesivo de atención por parte del que llega tarde. Teme encontrarse con una escena que no soporta, estar sola. La impuntual quiere ser deseada y provocar con su ausencia el deseo del otro. Esta actitud resulta agresiva para el que espera, pues no se le tiene en cuenta.

La impuntual no puede controlar su vida del mismo modo que no puede controlar su tiempo; depende de un tiempo interno donde algunos conflictos no elaborados le provocan discusiones o malestares con las otras personas. En ocasiones, se llega a aceptar como un rasgo de carácter, y se convence a sí misma de que ella es así. Este planteamiento es el de la persona que no tiene capacidad para cuestionarse a sí misma y posee pocos recursos internos para cambiar.

Llega tarde porque todavía no ha podido alcanzar un conocimiento sobre sí misma que le permita vivir sin miedos.

Hay una falta de manejo del tiempo propio, igual que hay descuido por el tiempo del otro.

Estefanía: el dominio del tiempo

Durante una época, llevaba el reloj con diez minutos de adelanto, pensando que de este modo dejaría de llegar tarde a los sitios. Pensaba que esa maniobra la empujaría a salir antes y dejaría de ser tan impuntual, pero todo era inútil. Estefanía siempre llegaba un poco tarde a casi todos los sitios. Sus amigos contaban con ello como un rasgo de carácter que no podía cambiar. Cuando estaba a punto de salir de casa, siempre se le ocurría algo que la hacía entretenerse. No medía bien el tiempo, sobre todo cuando acudía a una cita. El otro siempre tenía que esperarla y ella llegaba corriendo y excusándose.

¿Por qué no puede Estefanía dominar el tiempo? ¿Qué hace que siempre llegue tarde? Estas preguntas hallaron su respuesta en una psicoterapia a la que acudió por problemas con la comida. El padre de Estefanía era muy rígido en cuando a los horarios de la comida y de irse a la cama, aunque, por otro lado, él solía llegar tarde a casa, lo que provocaba alguna que otra pelea conyugal. Su mujer le decía que a saber dónde había estado, y él le respondía que era una malpensada. La fantasía de su madre acerca de los retrasos de su marido nunca fue explicitada con claridad. Con frecuencia, cuando Estefanía llegaba a casa del colegio, no había nadie y era atacada por la fantasía de que sus padres se habían separado por culpa de aquellos retrasos paternos nunca explicados. Vivía tales situaciones con terror.

Estefanía llega tarde, entre otras razones, porque desea que al llegar los otros estén presentes. Evita esperar en soledad porque eso le remite a situaciones infantiles en las que tuvo miedo. Si llega tarde, supone de manera inconsciente que los que la esperan estarán pensando en ella y deseando que llegue, lo que es una forma de llamar su atención, pero, sobre todo, de que los otros no la dejen sola ni un momento, para no llegar a pensar que la han abandonado.

Además, se ha identificado con su padre, al que quiere mucho, justo en el rasgo de él que más la hizo sufrir, como una manera de comprenderle y también de disculparle.

Ponerse siempre en lo peor

Cuando se piensa que cualquier acontecimiento futuro vendrá marcado por la desgracia, se expresa, por un lado, un temor a no salir victoriosas de lo que suceda y, por otro, al de ser castigadas por un destino que va a ser cruel. Se tiene miedo porque se percibe la debilidad. Gran parte de esa fragilidad emocional proviene de no reconocer las pulsiones agresivas: se coloca en el mundo externo una capacidad de hacer daño que, sin embargo, se lleva dentro.

Entonces la mujer se castiga sufriendo por algo que cree que va a pasar y que va a ser malo y, de este modo, salda cuentas con un pasado. Cuando anticipamos un acontecimiento y la mujer se pone en lo peor, piensa inconscientemente que no se merece otra cosa.

Inma: imaginando desgracias

¿Y si tenía un tumor y se moría? A Inma, que siempre se ponía en lo peor, le habían dicho que debía ingresar a su madre. La fantasía de Inma se disparaba como siempre, imaginando desgracias. Ya se veía cuidando a su madre, víctima de una grave enfermedad, para lo que tendría que dejar de trabajar. Para Inma, cualquier enfermedad era el anuncio de una muerte segura.

Cuando encontró el trabajo actual, en vez de celebrarlo, pensó que la podían despedir; y si se enamoraba, creía que la iban a abandonar.

Su familia siempre le había hecho sentirse frágil, pero ella no se había dado cuenta; es más, había organizado un sistema defensivo que le hacía parecer muy valiente. Cuando comenzó su adolescencia, la comunicación con su madre fue difícil. Su madre era muy insegura y dependiente, y cada vez que su hija salía de casa le decía que estuviera atenta por si pasaba algo, que en la calle había muchos peligros. La mirada que su madre tenía sobre el mundo la inducía al miedo.

Cada vez que la vida le plantea una novedad, Inma cree que está dañando a su madre y el autorreproche inconsciente que se dirige a sí misma se convierte en que el mundo externo la va a hacer sufrir.

Temer continuamente algo malo que viene de afuera es huir de algo malo que se siente dentro. Al principio de nuestra vida tenemos una posición pasiva: todo nos es dado. A medida que vamos creciendo, el hecho de pasar a una posición activa e ir consiguiendo por nosotros mismos lo que queremos produce placer. Una forma de pasar a la acción es intentar controlar con nuestras fantasías lo que va a ocurrir. El «yo» es una instancia psíquica cuya función principal consiste en evitar estados traumáticos. Para ello, tamiza y organiza las cantidades de excitación que entran en nuestra mente.

Una manera de hacerlo es pensar anticipadamente lo que vamos a vivir, porque esta es una forma de sentir que podemos llegar a dominar la situación.

Enferma de sí misma

La mujer narcisista es como un niño que fantasea con ser un gigante: se atribuye rasgos y virtudes de los que carece y se coloca en el centro del mundo porque no sabe vivir en él. Se ama demasiado porque nadie la ha querido de la forma adecuada. Por regla general, resulta insoportable cuando se la tiene cerca porque no sabe amar: el otro no le interesa excepto para que le afirme en aquello que alimenta su «ego». Con ese «ego» omnipresente disimula una identidad frágil y una debilidad psicológica que manifiesta cuando se derrumba el engaño del que vive.

Sin embargo, cierto grado de narcisismo es conveniente y deseable a lo largo del desarrollo infantil. El niño, precisamente por la extrema dependencia con la que nace y porque su aparato psíquico no le permite saber quién es él y quién el otro, se cree el centro del universo de sus padres. El deseo de admiración que tiene se debe a la necesidad imperiosa de ser reconocido como único y diferente.

La persona que se centra fundamentalmente en lo que le ocurre y es incapaz de ponerse en el lugar del otro está enferma de sí misma. Se suele creer que el narcisista es así porque quiere, pero no se trata de eso. Lo que le sucede es que su personalidad está mal organizada y no puede ser de otra forma, porque está dominado por complejos inconscientes que desconoce. Por lo general, sus padres no tuvieron con él la empatía que un niño necesita. Quizá estuvieron más centrados en sus necesidades que en las de su hijo y fueron muy contradictorios en sus mensajes: podían halagarle en exceso o mostrarse desinteresados, según conviniera a sus intereses.

El narcisista es una víctima de su propia enfermedad. Si estuviera dispuesto a revisar cómo se formó la imagen que tiene de sí mismo, podría cambiar y construir relaciones mejores. Pero solo suele suceder cuando un sufrimiento psicológico elevado le conduce a un tratamiento.

Algunos «narcisos» son con frecuencia seductores porque necesitan tener rendidos a sus pies al mayor número de gente posible. Quienes caen en sus redes son personas que se dejan fascinar por la imagen de autosuficiencia y omnipotencia que estas personas desprenden. Esta imagen evoca en todos la fantasía infantil de que hay otro omnipotente. La maduración psicológica consiste precisamente en aprender a aceptar los límites propios y los ajenos.

El miedo al éxito o el temor al fracaso pueden provocar muchas inhibiciones a la hora de desarrollar una profesión. En el interior de cada persona se producen con frecuencia verdaderas batallas entre los impulsos que quieren realizarse y las censuras que intentan ahogarlos. Estas luchas pueden desarrollarse sin que tengamos conciencia de ellas. Sin embargo, nuestro cuerpo sí registra un cansancio generalizado que nos deja sin energías y solo sentimos alivio cuando dejamos de trabajar. Esta relajación no solo se debe a que tengamos menos obligaciones y estemos por lo tanto más descansadas, sino al hecho de que al abandonar la profesión dejamos de sufrir una tensión interna que estaba minando nuestra salud mental.

El psicoanálisis, en su investigación sobre el psiquismo, descubrió que mientras conscientemente podemos estar sufriendo algún síntoma que nos hace padecer, inconscientemente podemos estar realizando un deseo oculto que nos satisface. El fracaso de nuestra voluntad es el triunfo de una parte desconocida, pero propia, que se apodera de nosotros y que en última instancia castiga a nuestro «yo».

Si no nos sentimos con derecho a tener éxito, boicotearemos nuestras posibilidades o nos culparemos por haber conseguido algo que queríamos.

Adela: mirar lo íntimo

Adela quiso ser reportera gráfica, pero trabaja en el gabinete de prensa de una revista de empresa, encargando trabajos a otros. Estos días, por fin, le han pedido que haga un reportaje sobre una huelga. Pero cuando parecía que el sueño de su vida comenzaba a hacerse realidad, Adela empezó a sentirse mal. De repente, le parecía una pesadez salir a la calle en busca de imágenes. ¿Qué le ocurría? Quizá, pensó, tenía la gripe, pues le dolían todas las articulaciones.

La angustia de Adela se debe, en realidad, al miedo a tener éxito en aquello que más desea, y este miedo es el efecto consciente de un conflicto interno. Adela no se siente con derecho a realizar lo que más quiere porque el éxito está asociado en ella a un problema interno que no ha resuelto y la llena de culpa.

Para ella, hacer reportajes gráficos de forma creativa representa una satisfacción que tiene demasiadas resonancias sexuales. Cuando era pequeña, encontró por casualidad una actividad que la llenaba de culpa y excitación. Unos ruidos que provenían de la habitación de sus padres la condujeron a espiar por el ojo de la cerradura: vio poco, pero se imaginó mucho.

Sin saber por qué, siempre le gustó mirar por un objetivo. Sentía que ponía distancia ente la realidad y ella. Además, podía seleccionar la parte de la realidad que le gustaba. Sin embargo, se sentía culpable. Había sido muy rebelde, pero esta actitud se producía para luchar contra una dependencia excesiva hacia su madre. En el fondo, seguía sintiéndose como una niña.

Sus fotografías representaban separarse en alguna medida de su progenitora y tener una mirada propia también hacia su sexualidad. Mientras seleccionaba las fotos de los demás, ella seguía mirando por el ojo de la cerradura lo que otras hacían. Cuando cogía la cámara en sus manos, pasaba a ser poseedora de una sexualidad adulta. Cuando descubrió algunas de estas asociaciones inconscientes en una psicoterapia, logró dedicarse a lo que siempre había querido.

Síntomas de conflicto en el campo profesional

Las dificultades en el ámbito profesional pueden aparecer enmascaradas detrás de enfermedades que afectan al cuerpo o a la mente. Entre las primeras nos encontramos con las somatizaciones, que se dan cuando un conflicto interno se exterioriza a través de un dolor corporal que hace imposible realizar una tarea profesional.

Por ejemplo, una tensión emocional muy alta puede expresarse en una rigidez muscular, lo que perjudicaría gravemente la labor de un deportista. También puede producir el efecto contrario: un relajamiento muscular productor de un cansancio crónico, al que en ocasiones damos el nombre de estrés. No es raro que estos síntomas sean el resultado de un agotamiento que se produce al luchar contra una depresión latente que amenaza con salir a la luz. Cada profesión tendría su síntoma. Un fotógrafo puede desarrollar conjuntivitis; una pintora puede convertirse en alérgica a los productos que tiene que manipular; un escritor puede quedarse en blanco y encontrar serias dificultades para seguir adelante...

Entre los conflictos psicológicos que afectan al área laboral nos encontramos con todos aquellos en los que la atención y la concentración sufren alteraciones, o aquellos en los que las relaciones con los compañeros o superiores están marcadas por una pelea continua y el trabajo se convierte en un deber insufrible. Angustia, ansiedad, malestar y síntomas depresivos pueden conducir a sufrir inhibiciones en el trabajo.

SUFRIR MÁS QUE NADIE

Algunas mujeres siempre cuentan lo mal que lo han pasado en alguna ocasión, siempre sufren más que los otros. En vez de producir un poco de pena, provocan malestar, pues nunca cambian nada para que les vaya bien. Jamás ven el lado positivo de la vida, aunque tampoco se dejan ayudar. Destilan cierto masoquismo y una agresividad disfrazada, pues dejan impotente a quien les escucha. Con todo, lo peor es que nunca dan importancia a lo que le ocurre al otro, pues lo de ellas es siempre más importante, más doloroso, más difícil. Son narcisistas y buscan ser el centro de atención. Contando sus desgracias quitan el protagonismo a quien habla. De esta forma, además de ser cuidadas, evitan algo que temen mucho: el ataque envidioso de las otras si muestran lo que les marcha bien.

Cuando la autoestima es baja y alguien se siente mal consigo mismo, se puede envidiar mucho a los otros. Cuando esta envidia no se reconoce, se proyecta sobre los demás. Así, se teme permanentemente el ataque del otro. El modo de evitarlo consiste en colocarse en la posición de víctima. Se consiguen de este modo dos cosas: ser cuidada y no ser atacada.

La persona que se instala en la posición de víctima no quiere que la ayuden, lo que necesita en primer término es quejarse y, sobre todo, llamar la atención y superar a las demás en algo, aunque sea en sufrimiento. De esta curiosa forma muestra su envidia, quitando el protagonismo a aquel que ha tenido un conflicto, siempre más pequeño que el suyo. Cuando se le da una solución para resolver su problema, solo ve los inconvenientes y dice que es muy complicado lo que le sucede. La mujer que quiere destacar de esta manera se muestra como víctima de los demás, pero es verdugo de sí misma. Está alienada, pero no sabe nada de su alienación, que consiste en permanecer sumisa a lo que le ocurre, sin creer que puede actuar sobre lo que le pasa, pero exhibiendo su dolor para ser objeto de la mirada del otro. Se trata de una postura miedosa e infantil y, sobre todo, exigente.

Las que sufren tanto, y siempre más que el otro, no saben quererse y tampoco han aprendido a amar porque no saben escuchar. Poco preparadas para disfrutar de la vida, esconden su potencial agresivo, mostrando su dolor más para callar al otro y ser el centro de atención que para pedir ayuda.

9
CONFLICTOS EN LA RELACIÓN CON LOS OTROS

CUANDO NO SE PUEDEN EXPRESAR LOS AFECTOS

Así como el cuerpo y la mente son un conjunto inseparable que nos identifica como humanos, los sentimientos y la inteligencia deberían ser una pareja bien avenida en todos nosotros. Pero no es así. El contenido más importante de nuestras vivencias está enterrado en nuestro pasado y le es difícil expresarse, más allá de que las capacidades intelectuales funcionen bien.

Hay gente a la que le cuesta expresar sus afectos, incluso hay quien los niega como si no existieran. Suelen ser personas tan controladas e inaccesibles que dan la impresión de tener una seguridad excepcional en sí mismas, en sus criterios y convicciones. En realidad, tras esa máscara de fortaleza y dominio se esconde un mundo sentimental casi muerto, razón por la que se tiene miedo al contacto afectivo con el otro.

Los sentimientos y deseos pueden encontrarse disociados de la conciencia, como ocurre en las neurosis. El neurótico se extraña de sus impulsos. Se siente extranjero en su propio mundo y no puede reconocer claramente sus afectos.

En los casos más extremos, su «yo» organiza una especie de frigidez generalizada que evita más o menos todas las emociones. Este déficit sentimental se compensa en ocasiones con una gran eficacia en el mundo racional. Solo aceptan las relaciones de orden lógico. Al no reconocer sus sentimientos, buscan sustitutos o equivalentes de afecto de carácter somático. Necesitan demostrarse que son eficientes y paliar así el escaso registro de su mundo afectivo. Se niegan a sí mismos la posibilidad de sentir dolor, pero también el placer de la alegría o la pasión. De ahí que se asusten ante las emociones ajenas y no conozcan bien a los que les rodean. Inaccesibles y fríos, están en fuga de una realidad interna desvitalizada.

¿Por qué se temen los propios sentimientos? ¿Qué causas influyen para que se produzca esta anestesia afectiva? ¿Tenemos hombres y mujeres diferencias en este tema?

La principal razón por la que se niegan los afectos es porque el «yo» de las personas que los sienten perdería su autoestima, ya que la censura que tienen sobre ellos es radical. El sentimiento de culpa al que se enfrentan es demasiado grande. Si una persona de estas características aceptara que tiene afectos como la rabia, la agresividad o la envidia, se vería demasiado despreciable, de modo que los niega, desmantelando en esta operación cualquier otro tipo de emoción. Insensible a sus emociones, evita las ajenas. No puede disfrutar de lo placentero de la vida.

Cuando la anulación de los afectos es de carácter general y constituye un rasgo muy definido de la personalidad, hay que buscar las causas en los orígenes de la existencia. Este analfabetismo sentimental respecto a las propias emociones proviene de que no aprendimos a leer los afectos en los primeros años de vida, porque no nos enseñaron de forma adecuada. En la simbiosis de nuestra primera relación con la madre se gesta ya la primera encarnación de lo orgánico y lo emocional. Si la madre se encuentra en situación de grave conflicto respecto al bebé, un exceso de angustia no le dejará poner en él la libido que le permitiría entenderle. No le transmitirá un lenguaje afectivo con palabras y caricias. Hay, por otra parte, familias en las que las expresiones afectivas están tan mal vistas que pueden llegar a negarse en su totalidad.

La dificultad para expresarse emocionalmente también puede ser transitoria. En tal caso, los sentimientos quedan bloqueados temporalmente después de una situación traumática, como un accidente o la muerte de un ser querido. Se trata de un mecanismo de defensa para evitar que el desgaste sea demasiado alto.

Hombres y mujeres tenemos algunas diferencias en el modo de expresar los sentimientos. En ello intervienen tanto razones biológicas como culturales y psicológicas, que se interrelacionan. Todo el mundo, por ejemplo, conoce esa máxima tan repetida según la cual «los hombres no lloran», un mandato que les obliga a reprimir los afectos si no quieren ser tachados de afeminados. El hombre, cuando se acerca demasiado a sus emociones, se siente inseguro, cree que pierde su identidad masculina, que ha tenido que construir en el proceso de separación de su madre y acercamiento al padre. Y teme recuperar alguno de sus aspectos internos femeninos.

Por el contrario, la sociedad no cuestiona a las mujeres la expresión de sus sentimientos; incluso en algunas épocas se ha fomentado en ellas la sensiblería. Esta permisividad se asienta en que la madre es el origen de nuestras primeras sensaciones y afectos y de quien dependemos en los comienzos de la vida. Esta identificación de la mujer con el papel de madre, experta en el mundo emocional, puede hacer en ocasiones que acabe descuidando, por ejemplo, su relación amorosa al servicio del cuidado del resto de la familia.

Muchos de los conflictos de pareja provienen de una grave dificultad para la comunicación emocional.

La mujer a la que siempre abandonan

Algunas mujeres parecen marcadas por continuas vivencias de abandono y de separaciones de pareja. Cuentan que tienen mala suerte en el amor, que tarde o temprano las cosas se van al traste. Abandonadas una y otra vez por sus cónyuges (en ocasiones, varias veces por la misma persona), sufren y se fijan en lo que han perdido, pero no registran lo que han podido ganar con la marcha del otro. Se sienten humilladas y despreciadas por el que las ha abandonado, quizá por otra a la que suponen mejor. Estas mujeres no pueden reconocer que tal vez habían hecho una mala elección de pareja. Con frecuencia, en lugar de aprovechar su libertad para cambiar y depositar su amor en alguien más conveniente, se quedan esperando la vuelta de quien las daña. No se preguntan por qué eligieron a alguien que no las valora, que no las quiere; no se preguntan por sus deseos, sino por lo que le pasa al que se ha ido. Enganchadas a quien las abandona, sufren y se quejan. A veces se niegan a establecer una nueva pareja porque temen repetir la experiencia. En ocasiones aparecen autorreproches por no haber sabido defender bien su lugar en el lazo amoroso, como si fueran ellas las que han fallado.

Penélope: «Me han dejado de nuevo»

—Me ha dejado de nuevo —le cuenta Penélope a su amiga Ana—. Es que, mira, no le comprendo, no entiendo qué es lo que quiere. Seguro que dentro de dos meses vuelve a decirme que quiere estar conmigo y que le perdone.

—¿Y tú qué vas a hacer? —pregunta Ana—. ¿Vas a ir corriendo otra vez como un perrito faldero? Pero qué es lo que tienes que entender de él, ¿que no sabe lo que quiere? Pues parece que eso está bien claro. Yo, la verdad, a quien no comprendo es a ti. ¿Por qué no te preguntas de una vez qué es lo que quieres tú y te desenganchas de un hombre que te abandona continuamente?

—No es fácil, Ana; yo le quiero. Además, es el padre de mi hija.

—Pues mejor lo pones. A tu hija no deberías darle el espectáculo de que su padre te deje y te coja cuando quiera. El padre de tu hija lo será para toda su vida, pero no tiene por qué seguir siendo tu marido.

El marido de Penélope la abandonó a los tres años de vivir juntos, cuando su hija contaba con un año de edad.

Se fue a otra ciudad, con una compañera de trabajo. Después de nueve meses, llamó a Penélope diciéndole que se había equivocado y que le perdonara, que quería volver con ella porque se había dado cuenta de que era la mujer de su vida. Ella dudó, pero aceptó y preparó las cosas para irse a la ciudad donde vivía su ex. Pero cuando todo estaba listo, él la llamó de nuevo y le dijo que no estaba seguro y que prefería seguir como hasta entonces. Penélope pensó que la otra había vuelto a ganar, pero mantuvo la esperanza de que él volviera a darse cuenta de su error.

¿Qué hace que Penélope soporte estos abandonos sin cortar definitivamente con su ex? ¿Por qué le vuelve a dar otra oportunidad? ¿Por qué le interesa tanto lo que le ocurre a él y tan poco lo que siente ella? A todas estas preguntas se pudo contestar después de acudir a una psicoterapia que la ayudó a reconstruirse y comenzar a quererse siendo mujer.

El miedo a ser abandonada estaba provocado por una idea inconsciente, que tenía que ver con una profunda desvalorización de sí misma. En el caso de Penélope, proviene de una idea infantil que expresa su decepción por el abandono que sufrió por parte de su padre. Según ella, su padre las abandonó tanto a ella como a su madre porque había sido una niña mala. A veces pensaba que de haber sido un chico, no se hubiera ido.

La desvalorización femenina

¿De dónde viene ese miedo al abandono que sufren especialmente las mujeres? Las niñas, durante el proceso de maduración de la identidad femenina, pueden llegar a pensar que hubieran preferido ser varones y responsabilizan a su madre de no haberlo sido. Si ellas sienten afectos agresivos por esta razón y dejan de querer ser chicas, también pueden dejar de ser queridas: no valen tanto como ellos. Al considerarse menos que un hombre, sienten que como mujeres no pueden ser queridas.

La desvalorización que la mujer hace de sí misma se apoya en el miedo a ser abandonada; la dejarían porque no vale tanto como ese otro al que ella sobrevalora. Entonces, en su afán de ser amada, se coloca en el lugar de objeto. Y allí no hay espacio para hacerse preguntas sobre su propio deseo o sobre lo que ella espera de la relación, solo se pregunta qué quiere el hombre de ella.

La rivalidad en la pareja

Muchas de las discusiones que tiene una pareja están provocadas por la rivalidad. Se rivaliza para ganar al otro en algo que se supone que tiene y nosotros queremos. Se rivaliza porque se tiene una identidad frágil y se depende tanto del otro que a la vez que lo necesitamos fuerte, nos molesta que esa fortaleza nos muestre nuestra debilidad.

Cuando la rivalidad es demasiado alta en una pareja, puede conducir a un desgaste peligroso de la relación, porque el otro no esta allí para acompañar, sino para atacar; no esta allí para escuchar, sino para competir. El combate entre la pareja aparece cuando uno de ellos intenta escapar al dominio del otro. No es suficiente que dos personas se amen para conquistar cierto grado de armonía; es preciso también que ambos estén dispuestos a cambiar en aquello que perjudica al otro.

Covadonga: pensar en sí misma

Covadonga no sabía que en gran medida ella había sido la responsable de las peleas que últimamente tenía con su marido. El Día de los Enamorados, después de intercambiarse los regalos, tuvieron una discusión absurda. Él le dijo que era insoportable; Covadonga contuvo las lágrimas. Si lloraba, era porque no sabía cómo devolverle el daño que él le había hecho.

Durante años había estado tan enamorada que se había olvidado de sí misma. Su vida se había reducido a cuidar de los hijos, de él, de la casa. Enamorarse había sido como una larga enfermedad en la que se había refugiado para no enfrentarse a las dificultades que tenía para asumir su profesión. Se había ocupado de todos. Ahora quería pensar un poco en sí misma. Estaba decidida: volvería a trabajar fuera de casa. Se sentía bien, pero tenía miedo.

No entendía por qué, a medida que ella se iba sintiendo mejor consigo misma, aumentaban los enfrentamientos con su pareja. Mario era ejecutivo y Covadonga era abogada, pero había dejado de trabajar cuando nació su primer hijo. Ahora que sus hijos eran mayores quería volver a su profesión. Desde que le comunicó a Mario la noticia, todo fue mal. Mario, que presumía de ser moderno y apoyar la liberación de la mujer, no podía evitar hacer comentarios contra los abogados.

A Covadonga le dolía mucho la falta de reconocimiento de su marido hacia su profesión. Ella siempre le había apoyado y creía que él también, pero parecía que esto solo podía suceder mientras lo que ella hiciera estuviera considerado algo menor.

Mario rivaliza con Covadonga porque no sabe quererla como a una igual, tiene miedo de que, al volver a su profesión, no dependa tanto de él. A Covadonga, por su lado, le duele comprender que su marido no la apoya en algo que es importante para ella, pues entonces le aumenta la culpa que ella siente por volver a trabajar.

Un hombre y una mujer comienzan a rivalizar cuando entre los dos existe una relación de sometimiento. En estas situaciones, cuando uno hace un movimiento que puede representar menos dependencia, el otro empieza a rivalizar con quien intenta salir de ese tipo de vínculo.

Un hombre que rivaliza con su mujer porque vive mal que esta crezca personalmente, no está seguro de su virilidad; solo se siente fuerte mientras ella dependa de él en algún terreno. Lo mismo le pasa a la mujer cuando se queja continuamente del hombre con el que comparte la vida, porque con esa actitud está diciendo que él es peor en algún sentido que ella.

Una mujer que cuida y vive bien su feminidad no está con un hombre que no la valora. Un hombre que no está inseguro de sí mismo puede querer a la mujer como a un igual y no rivaliza con ella.

LA QUE SIEMPRE ES VÍCTIMA DE OTRO

Aparecer como mártir constituye una forma de ser protagonista de una historia, de ser alguien en quien los otros piensan. La «mujer cenicienta» es víctima de los demás y verdugo de sí misma. Está alienada, pero no lo sabe. La alienación consiste en permanecer sumisa, sin creer que ella puede actuar sobre lo que le ocurre.

La víctima vocacional se desconoce a sí misma porque su psiquismo oculta un gran resentimiento contra sus primeros objetos amorosos, y la culpa que siente por ello permanece en su inconsciente. Sin embargo, algunos ecos de estos afectos agresivos llegan a escucharse en esas emociones negativas que acaban provocando malestar en aquel que la escucha. La primera posición que tenemos al venir al mundo es pasiva. Son quienes nos rodean los que con sus intervenciones nos dan los instrumentos adecuados para interiorizar una instancia que nos permita cuidarnos: así como nos amaron, aprenderemos a hacerlo nosotros. Si nos protegieron en exceso, si no confiaron en nuestras posibilidades o si proyectaron sobre nosotras inseguridades y miedos, estaremos menos preparadas para dominar nuestro futuro, a no ser que nos enfrentemos al pasado para rectificar nuestra forma de mirarnos y de relacionarnos tanto con nosotras mismas como con los otros.

Los que siempre se sienten víctimas no saben quererse y tampoco han aprendido a amar, por eso siempre tienen a alguien que les manipula, que les explota, alguien que les hace sufrir y que ellos interpretan como que están siendo castigados por un destino cruel.

Almudena: la nueva cenicienta

«No sé qué he hecho yo para merecer esto», se dice Almudena mientras plancha una tonelada de ropa. Su marido acaba de salir a tomar unas copas, como todas las tardes. Es el momento en que Almudena aprovecha para telefonear a su madre, porque a su pareja no le gusta que hable con ella. Además, si está sola, se siente más libre para contarle lo que le ocurre con él. Almudena se queja mucho de que su marido está todo el día fuera de casa y de que, cuando viene, desaparece para ir a beber con los amigos. Se lamenta de que controla el dinero que ella gasta, de que sus hijos le hacen trabajar mucho y no recogen sus cosas... Almudena es una víctima dentro y fuera de casa, porque trabaja en una oficina donde también se siente explotada.

Las conversaciones con su madre siempre acaban con alguna de sus desgracias, problemas que, por supuesto, le infligen los otros, y que luego ella cuenta, sobre todo a su madre y a sus amigas, para que la consuelen. Cuando alguien le dice que por qué no reacciona y para los pies a su marido, ella responde que es imposible, que él no va a cambiar, cuando en realidad la que no modifica su forma de situarse en la vida es ella. Almudena piensa a veces que se ha equivocado en todo. De joven estaba enamorada de un chico, pero de forma incomprensible cedió a los ruegos de su actual marido, que parecía gustar más a su madre. Este hombre resultó ser bastante sádico. Controla todo lo que hace y es el que toma las decisiones sin consultarla, aunque en otros momentos la colma de atenciones.

Lo que se repite en la relación con su marido, y que ha marcado toda su vida, es la forma en que aprendió a relacionarse con su madre. De hecho, se queja de que su esposo la domina y la controla, pero no es capaz de confesar (ni de confesarse) que así es como ella se siente atendida, del mismo modo que en otra época se dejaba dominar por su madre. La posición que mantiene ahora frente a su marido evoca algún aspecto de la posición infantil que mantuvo frente a su progenitora. Con sus continuas quejas provoca que esta piense en ella gran parte del tiempo y, a la vez, la somete a una preocupación constante, lo que constituye un modo de agredirla. Es como si le echara en cara que no le haya proporcionado mecanismos para encontrarse bien a lo largo de su vida. Almudena continúa dependiendo en exceso de las opiniones de su madre, y mientras no salga de esa dependencia, no podrá modificar la relación con su marido ni consigo misma. Por otra parte, los sentimientos ambivalentes de amor-odio que siente hacia su madre le producen una culpa que solo se ve aliviada cuando alguien le hace sufrir. Almudena no puede hacerse cargo de una posición activa ante la vida porque no sabe asumir la carga de agresividad que esta posición conlleva.

La que sufre dependencia afectiva

Hay mujeres que soportan cualquier vejación, incluso la violencia física, antes que sentirse solas. Hay mujeres y hombres prisioneros de una mala relación afectiva, que les hace daño, pero que no pueden romper; personas que una y otra vez son maltratadas, pero que disculpan la actitud de su agresor con racionalizaciones como: «No es tan malo, luego se arrepiente»; «En el fondo me quiere, pero a veces le hago perder los nervios».

Ciegas y negadoras de la realidad, estas personas repiten una relación basada en algún tipo de sufrimiento, ya sea físico o psicológico. Justifican a sus parejas y se culpabilizan de lo que ocurre, cuando deberían sentirse víctimas del otro.

Cuando una mujer está atrapada en una relación que solo le hace infeliz, sería conveniente que se preguntara por qué permanece junto a otro que solo le provoca sufrimiento y hasta qué punto es adicta a él. Después tendría que pensar sobre la fantasía que tiene acerca de lo que representa para ella separarse de quien le hace daño.

¿Cómo es posible soportar todo tipo de agresiones y estar convencida de que quiere a quien se las inflige? En primer lugar, más que querer al otro, se le necesita, que es algo muy diferente. De ahí viene la dificultad de la separación. Estas personas son adictas a ese otro porque les proporciona la dosis de «daño» que precisan para sentirse vivas. Duro, pero cierto. Es el vínculo amo-esclavo que se da en la relación erótica sadomasoquista y que también puede darse fuera de la cama. En este tipo de relación lo que prima es el control del uno sobre el otro. Y ambos se necesitan, porque no hay amos sin esclavos ni esclavos sin amo.

El mundo afectivo es misterioso y contradictorio porque se nutre del inconsciente. Este determina las elecciones amorosas que hacemos a lo largo de nuestra vida, incluidas las elecciones dañinas. A menudo vemos con sorpresa que personas inteligentes y responsables hacen añicos su existencia aguantando a su lado a alguien que las maltrata. Ello se debe a que no se trata de una elección consciente, «razonable».

Sonia: el miedo a ser abandonada

Sonia está triste y se siente deprimida. Su pareja la ha abandonado, aunque ella todavía no se ha dado cuenta de que ha sido una suerte. Hace dos años se enamoró del que parecía el hombre de sus sueños, al que ofreció todos sus ahorros para que montara un negocio. A los seis meses empezaron los malos modos y los abusos por parte de él, pero ella negaba la evidencia justificando sus malos modales y se culpaba por ponerle nervioso. Ahora la ha abandonado para irse con otra. ¿Por qué está triste y deprimida en lugar de contenta, si se ha librado de un desalmado con cara de ángel? ¿Por qué se siente abandonada en lugar de liberada de una persona que la saqueaba moral y materialmente? Está triste y deprimida porque aún no ha podido reconocer la rabia que le produce que el hombre de sus sueños se convirtiera en el de sus pesadillas. Porque aún no ha sido capaz de preguntarse qué participación ha tenido ella en todo este proceso. Solo se siente una víctima de él, un objeto de lo que él quisiera hacer con ella, fuera tomarla o dejarla.

El historial sentimental de Sonia está dañado allí donde se asientan las bases de la autoestima y de la relación amorosa con el otro. Su madre murió en un accidente cuando Sonia contaba con un año de edad y no tuvo suerte con las personas que se hicieron cargo de ella. Esas profundas carencias afectivas le han hecho concebir la idea de que tiene que dar mucho para recibir algo. Sonia no ha hecho las paces con su pasado y repite, inconscientemente, al estilo de un bebé indefenso, una relación de total sometimiento a otro al que ella concede un poder casi absoluto.

En las relaciones simbióticas madre-hijo se crea (antes de que se construya un «yo») un arsenal afectivo, que queda en la memoria inconsciente y que es muy importante para las posteriores relaciones. Por otra parte, el padre es determinante porque nos ayuda a separarnos de la madre y enseña a poner límites, que es lo que hay que aprender para adquirir una identidad que nos permita movernos solos por el mundo. Si no se logra un mínimo de independencia afectiva, se buscará parejas que hagan de mamá o papá y la mujer se colocará en un lugar de dependencia absoluta con respecto a él o a ella, tal y como le ocurre al hijo pequeño con su madre, pero identificada con un objeto minusvalorado, incluso despreciado, pues así es como se siente inconscientemente el hijo o la hija que cree haber sido poco querido, o que haya sido en realidad utilizado en algún sentido por sus padres.

Para salir de esta situación hay que romper con los lazos que nos atan al pasado. Ofrecerse como objeto a la manipulación o la agresión de otro es un síntoma autodestructivo que explica algunas de las razones que llevan a las mujeres a soportar el maltrato de un hombre.

La que vive con un maltratador

¿Por qué se soporta el maltrato? ¿Qué infierno se vive con un maltratador? ¿Por qué una mujer llega a disculparle? ¿Qué tipo de dependencia afectiva la ata a él?

Cuando una historia de maltrato sale a la luz, conocemos el final de una novela de terror. Para entender el aguante ante la crueldad de otro que algunas personas, en su mayoría mujeres, soportan, habría que comenzar por el primer capítulo, que es la infancia de la maltratada y de su pareja. Es probable que a la mitad de esa «novela» encontráramos las razones por las que eligió a esa pareja, las razones por las que le perdonó la primera falta de respeto o el primer golpe, y desde ahí entenderíamos mejor los últimos capítulos, que, por desgracia, terminan a veces con la muerte de la protagonista.

Utilizo la palabra «novela», porque si bien son personas de carne y hueso las que sufren estos infiernos, también es cierto que dentro de su psiquismo tienen una novela familiar trágica de la que no se pueden liberar y que influye en ellas arrastrándolas a soportar lo insoportable, a perdonar lo imperdonable, a disculpar actitudes que las destruyen y las denigran. Incluso más allá de toda lógica, a veces llegan a creer que ellas son las culpables de los desmanes del que las agrede.

Silvia: se siente avergonzada de sí misma

Silvia esconde su cara como puede tras la melena para que sus dos hijos no vean cómo la tiene. Les da la espalda mientras se toman el desayuno y los envía rápidamente al colegio para ocultar su pómulo hinchado. Quiere ocultarles eso que los hijos respiran en el ambiente cuando su padre es un maltratador. Su marido le había propinado un puñetazo en la cara por la noche. Después le había pedido perdón asegurándole, deshecho en lágrimas, que no lo volvería a hacer. Ella no podía evitar perdonarle cuando él se ponía a llorar y le aseguraba que jamás volvería a pegarle.

¿Por que le creía? Silvia estaba muy triste y se sentía avergonzada de sí misma. Entonces puso la televisión y vio uno de esos programas en los que hablan de los malos tratos como si estuvieran vendiendo un producto publicitario y que le parecían indignantes.

En ese momento, su amiga Laura llamó a la puerta. Cuando vio la cara de Silvia y le pregunto qué había ocurrido, Silvia se puso a llorar. Laura la preguntó que cómo se dejaba hacer eso.

Entonces Silvia le cuenta que a su madre le pasaba lo mismo cuando su padre bebía más de la cuenta. Hablando con su amiga de las dificultades que tiene para denunciar a su marido, advierte que está repitiendo una historia «aprendida» en la infancia y que, de seguir así las cosas, a su hija le podría ocurrir lo mismo. Finalmente, aconsejada por su amiga, Silvia acudió a una psicoterapia y allí descubrió las razones inconscientes que la paralizaban ante el maltrato del que era objeto. Identificada con su madre, resolvía sus culpas inconscientes dejándose pegar, es decir, siendo castigada. No solo se separó de su marido, sino que fundamentalmente se liberó de una parte suya que le hacía daño. Dejó de sentirse avergonzada de sí misma y comenzó a defenderse a la vez que a quererse mejor.

Cuando se está inmersa en una situación de maltrato, el «yo» queda anulado y la mujer no sabe por qué no responde. Se confunde con el maltratador porque se siente avergonzada de sí misma; de algún modo, en el fondo le está dando la razón, es decir, cree que merece el trato que él le da.

Las tendencias autodestructivas se hacen evidentes cuando una mujer cae en brazos de un maltratador del que además le cuesta liberarse. Esas tendencias inconscientes han sido cuidadosamente abonadas desde la infancia. Todos los sentimientos agresivos y la rabia que esa mujer sintió siendo niña no pudieron ser dichos, nadie pudo escucharla y ahora siguen dentro y se vuelven contra sí misma, expresándose como autodesprecio.

Al maltratador le exaspera la condición femenina y solo puede imaginarse a la mujer humillada, pegada o violada. La angustia suscitada en el hombre ante el sexo femenino y los misterios de la gestación le empujan a construir defensas contra ella, transmitiendo ideas destinadas a reforzar los sentimientos de culpabilidad e inferioridad de las mujeres. Parecería que ser sufrida es en la mujer una cualidad.

Los maltratadores odian lo femenino y necesitan demostrarse a sí mismos que son dueños de esa persona que ellos rebajan hasta convertir en un objeto sobre el que pueden descargar su furia. Castigan y pegan con el afán de adquirir un completo dominio sobre la mujer.

La mujer que vive con un maltratador es, primero, víctima de él y, después, víctima de sí misma, víctima de culpas inconscientes que no conoce, de críticas y exigencias que se hace. Por ello se maltratan a sí mismas o se exponen a la brutalidad de su maltratador. Los comportamientos más absurdos tienen sus razones ocultas; la forma de liberarse de ellos es llegar al conocimiento de sus causas.

La cuna de la violencia

La falta de respeto y los abusos infligidos al cuerpo de un niño son traumas que marcan su vida futura. Cuando un niño ha presenciado situaciones humillantes que sufriera su madre, es muy probable que vuelva a repetir ese tipo de relación con su pareja. El psiquismo, empujado por la compulsión a la repetición, provocará situaciones en las que torturará a su prójimo o será torturado por él. Así pues, la maltratada no nace, se hace. Su historia emocional suele tener estas características:

—La infancia: está marcada por los malos tratos físicos o psíquicos, por un abandono afectivo y por una ideología según la cual la mujer está obligada a aguantar cualquier cosa por su condición de mujer. En realidad, se le ha transmitido una visión perversa de las relaciones de pareja donde lo que se practica es el sadomasoquismo.

—La madurez: no puede sostener lo que ella desea y se siente culpable de lo que hace él. Inmersa en culpas inconscientes y con graves problemas para sostener su identidad, se convierte en el instrumento del otro.

Una situación de maltrato se puede cambiar. El primer paso es buscar ayuda y poner palabras a todo lo que pasa. Después, investigar por qué ocurre y tomar las medidas adecuadas.

Solo si se cambia por dentro es posible modificar la relación que se mantiene con el otro. Para salir de una relación de maltrato y no volver a repetirla, hay que hacer una psicoterapia que ayude a la mujer a cambiar sus relaciones consigo misma y con los otros.

Todas las ayudas institucionales que se puedan dar a la mujer son necesarias. Si sus condiciones externas cambian, se sentirá más protegida porque lo necesita. Pero después será ella sola la que tendrá que seguir adelante y para ello debe cambiar también sus condiciones internas.

Es un error creer que se soporta la situación por los hijos, pues estos siempre saben lo que pasa y continuar en esa situación les hace daño. Los miedos personales inmovilizan. Los hijos deben estar protegidos de escenas traumatizantes, las vean, las escuchen o las intuyan.

ENCADENAR FRACASOS SENTIMENTALES

Hay individuos cuya vida amorosa es una cadena de fracasos. Se enamoran una y otra vez de personas con las que organizan vínculos afectivos que les dañan. El azar parece que siempre pone en su camino alguien que les frustra y con el que no pueden llegar a una relación gratificante.

Esta tendencia a repetir involuntariamente situaciones que nos duelen, y que atribuimos a la casualidad o a la mala suerte, tiene su origen en experiencias remotas que permanecen sin resolver en esa zona del psiquismo a la que llamamos «inconsciente».

Los sucesivos desengaños amorosos de una persona, aunque parezcan diferentes, suelen ser, en alguna medida, el mismo. Todos están provocados por una incapacidad para entablar con el otro una relación de intimidad duradera. Las personas que fracasan en el amor una y otra vez no soportan la caída de la ilusión característica de los comienzos de toda relación amorosa. La ambivalencia sentimental (esa mezcla de rechazo y apego hacia la persona que amamos) se despierta cuando ha dejado de cumplir lo que esperábamos de ella y cuando descubrimos que tampoco respondemos al ideal que el otro se forjó al principio de nosotras. Si la ambivalencia resulta insoportable, la pareja se rompe. Es probable que el fracaso se repita una y otra vez, y en circunstancias semejantes, a menos que se haga un trabajo psicológico para aclarar las causas de esa ambivalencia.

Elisa: el peso del destino

Elisa no podía creérselo, pero esta vez se sentía bien después de romper con su pareja. Se había quitado un peso de encima al liberarse de aquella relación en la que últimamente se sentía tan incómoda y que le estaba conduciendo hacia la ruina personal. Había aceptado al fin que no tenía suerte con los hombres. Era su destino, de modo que decidió, irónicamente, que se casaría consigo misma y que lo celebraría con un viaje. ¿Por qué los hombres que se cruzaban en su camino eran tan estúpidos?

Esta era su tercera ruptura. No comprendía cómo aquel hombre tan encantador y cariñoso al principio se había convertido en su peor enemigo, hasta el punto de devolverle una imagen de sí misma en la que no se reconocía. La llamaba histérica cuando estaba enfadada y siempre desvalorizaba sus sentimientos como «algo propio de mujeres».

La relación anterior había tenido un abrupto e inesperado final para quienes la rodeaban, pero perfectamente comprensible desde el punto de vista psicológico. El novio, en este caso, era un hijo único algo más joven que ella. Elisa tuvo que hacer verdaderos esfuerzos para ser aceptada por los padres de él. Cuando al final lo logró, su resentimiento era ya mayor que el amor, por lo que rompió la relación en el momento mismo en el que comenzaron a hablar de boda.

En cuanto a su primer amor, estaba sentenciado desde el principio. Se trataba de un hombre casado que había sido profesor suyo. Todo fue bien hasta que Elisa advirtió que no estaba dispuesto, como le había prometido al principio, a separarse de su mujer. Como ella tampoco estaba dispuesta a ocupar el lugar de amante de forma permanente, lo dejó. Todos sus amores, por una causa u otra, acababan resultando asfixiantes. Cuando comenzaba a sentir agresividad hacia sus parejas, porque no le permitían ocupar el lugar que ella deseaba, la relación estaba sentenciada. El común denominador es que, pasados los primeros momentos de pasión, se sentía poco valorada, o no reconocida, o criticada. ¿Por qué siempre el mismo final en todas y cada una de sus relaciones amorosas?

En las rupturas amorosas de los adultos hay siempre una evocación inconsciente de los primeros vínculos amorosos: el de la madre en primer lugar y, después, el del padre. Ellos fueron los primeros que nos «decepcionaron», pues durante una época les atribuimos una perfección de la que carecían. Elisa se sintió abandonada, siendo muy pequeña, por su madre. Sin embargo, siempre la vio muy unida a su hermano. Elisa es ahora quien abandona a los hombres «equivocados» que se cruzan en su camino en un intento de no depender de ellos como su madre dependió de su marido y de su hijo. No sabe cómo organizar un vínculo amoroso sin que la dependencia del otro resulte excesiva y anule su personalidad.

Toda relación amorosa crea dependencia. Quien ama, gana compañía, pero pierde libertad. Y sin embargo, no hay relación de pareja que pueda durar de forma saludable si cada uno de sus miembros no preserva su propia parte de soledad y respeta la del otro.

Las personas poco seguras de sí mismas se convierten a menudo en ardientes defensoras de la independencia sentimental. Tienen tanto miedo a ser dominadas por el amado, que huyen cuando la relación se asienta.

Entre dos que se aman existe una cierta tensión: por un lado, quieren fundirse en uno; por el otro, seguir siendo dos. Cuando la segunda premisa se hace difícil de compatibilizar con la primera, la pareja se rompe.

Catalina: en el lugar de la amante

«Mi vida es un fracaso, yo nací en un momento equivocado, en un lugar que no era el adecuado, llegué mal a este mundo y así me va», se dice Catalina, que está totalmente hundida desde que le han dicho en su trabajo que la van a cambiar a otro departamento donde la necesitan más, pero que a ella no le gusta. Sabe que es una forma de quitársela de en medio. Era lo que le faltaba, aunque con la mala suerte que tenía en la vida tampoco le resultaba extraño. Después de que la relación amorosa que tuvo durante diez años se hubiera roto, Catalina se centró en su trabajo y ahora de nuevo sentía que había fracasado.

Nunca se sintió reconocida por su pareja y tampoco ha logrado obtener ese reconocimiento en la oficina. «¿Qué es lo que pasa? ¿El mundo entero se ha puesto en contra mía o es que no sé buscar lo que me conviene?», se pregunta. Su relación de pareja venía marcada desde el principio con el signo del desamor. Cuando lo conoció, se quedó fascinada por él. Era tan seductor que desde el día de su encuentro no se le iba de la cabeza. Raúl estaba casado y tenía dos hijos. Su matrimonio iba mal y estaba a punto de separarse, pero nunca lo hizo. Ella tardó diez años en darse cuenta de que jamás saldría del papel de amante, por lo que se sentía deseada, pero no querida. Había elegido a Raúl porque coincidía con el perfil de hombre que necesitaba para satisfacer algunas fantasías inconscientes que dominaban su vida amorosa. Su padre había sido infiel toda la vida a su madre y Catalina había interpretado que su madre siempre había envidiado el papel que la amante tenía en la vida de su padre.

La madre de Catalina era muy religiosa y siempre soportó esta situación sin decir nada, pero imaginando y envidiando a «la otra», a la que se referían como «la querida». Catalina identificaba ser mujer con el papel de amante. Alienada así en un deseo de su madre, se colocó allí donde a esta le hubiera gustado estar. De este modo conseguía acercarse a un hombre infiel como su padre, pero con el que la relación estaba destinada al fracaso. El objetivo inconsciente era doble. Por un lado, arrancar a un hombre de los brazos de otra mujer (lo que no había logrado su madre) y, por otro, organizar una forma de castigo por este éxito cuando la relación llegara a su fin. Luego intentó compensar su desastre amoroso poniendo toda su energía en el trabajo y se hizo adicta a él. Entonces sus compañeros empezaron a mirarla con mala cara y las cosas se le pusieron difíciles. Al final resultaba incómoda y por eso la cambiaron de lugar.

Marcados por el fracaso

El fracaso nos enseña mucho de nosotros mismos si estamos dispuestos a aprender. El fracaso es un ingrediente más de la vida y saber enfrentarse a él constituye un indudable síntoma de salud mental. No hay historia amorosa sin alguna desilusión. La distancia entre lo que nos imaginamos y lo que llegamos a conseguir puede producir una fractura que se registra como un fracaso, si bien es esa distancia la que nos hace intentarlo de nuevo. En este sentido, un cierto grado de fracaso nos impulsa y nos sirve para valorar después los éxitos que tengamos. Ahora bien, ciertos conflictos afectivos no resueltos promueven frustraciones continuas en aspectos tan importantes como el amor y el trabajo.

Algunas personas se pueden llegar a sentir atrapadas en un destino trágico del que se sienten víctimas: no tienen suerte con sus parejas, no consiguen el trabajo que quieren, siempre se encuentran con alguien que les hace sufrir o les boicotea... En estas circunstancias, la persona se encuentra atada a movimientos inconscientes que la conducen siempre por el camino equivocado. Cuando el fracaso es el denominador común de una vida, significa que el mundo interno está dominado por dos sentimientos que lo invaden: el de culpa y el de inferioridad. El primero es el que conduce a la persona a fracasar, porque el fracaso funciona en su subjetividad como un castigo que alivia la culpa. Esta puede provenir de fantasías infantiles que nunca se llevaron a cabo, pero que pesan en el inconsciente como crímenes verdaderamente realizados. En muchos casos procede de una fuerte hostilidad contra alguno de los progenitores cuya muerte se ha llegado a desear. Podemos estar pagando toda la vida adulta un crimen infantil que nunca cometimos.

El sentimiento de inferioridad se deriva del anterior. El individuo se siente inferior porque se percibe como alguien que no merece alcanzar sus objetivos. Estos, que le harían sentirse bien consigo mismo, están unidos a deseos inconscientes que se consideran inadmisibles a la conciencia. Por ejemplo, si triunfar en el amor significa haber arrebatado a una madre su lugar, puede que se evite hacerlo y se fracase. De este modo, el fracaso amoroso evita la tensión interna que la persona sufre al hacerse cargo de su deseo y se castiga a sí misma quedándose frustrada en ese terreno.

Tercera parte

EL EXTRAÑO QUE LLEVAMOS DENTRO

Un extraño nos acompaña. Vive dentro de todos nosotros. En muchas ocasiones se impone a nuestra voluntad. Creemos que sabemos bien quiénes somos, pero en, cierta medida, nos desconocemos. En ocasiones no entendemos por qué nos hemos comportado de un modo u otro. «No pude evitarlo», «fue más fuerte que yo», «no sé por qué lo hice», solemos decir. Ignoramos a qué se debe que no podamos superar el miedo a alguna situación o cómo no nos dimos cuenta de que aquella elección de pareja solo podía perjudicarnos. Estamos habitados por un extraño que se ocupa de que se nos olviden cosas, de que nos equivoquemos, un extraño que nos hace soñar, que nos hace deprimirnos sin saber por qué y que nos invade de preocupaciones que no podemos dominar. El psicoanálisis llama «inconsciente» a este extraño.

El inconsciente se manifiesta a través de los sueños, los despistes y las equivocaciones, así como en la repetición de experiencias desagradables, fracasos o determinados síntomas que con frecuencia atribuimos al destino.

10
LA LIBERACIÓN

CÓMO NOS AFECTA LO QUE NO SE DICE

Los conflictos son una manera de expresar sentimientos que no pueden ser dichos, así como emociones que no pueden ser reconocidas o afectos que desde nuestro inconsciente intentan manifestarse.

Sufrir continuamente dolores corporales, miedos que impiden realizar lo que se desea, o depresiones que conducen a pensar que morir es mejor que seguir viviendo, pueden constituir intentos de afirmarse internamente o una forma de expresar que la vida ha dejado de tener sentido. Ser adicta a comprar, a los romances o a alguna sustancia sirve, por lo general, para aliviar o reducir la angustia, como vimos en el capítulo 7.

Desamparo y temor al abandono, tristeza o angustia, rabia, celos, rivalidad o culpa son algunos de los afectos que pueden estar intentando expresarse a través de los conflictos que tenemos en la vida.

Cuando el espíritu se calla, habla el cuerpo; cuando no nombramos lo que sentimos, nuestro psiquismo o nuestro comportamiento tratan de expresar los conflictos de nuestro mundo emocional.

Detenernos a pensar lo que nos ocurre, ponerle palabras y, en caso necesario, acudir a una psicoterapia que nos descubra los enigmas de nuestro psiquismo puede ayudarnos a mejorar el equilibrio emocional.

Los sueños

En 1900 Freud publicó *La interpretación de los sueños,* una obra que influyó definitivamente en la comprensión de las imágenes oníricas. Un siglo después nadie se atrevería a decir que los sueños carecen de sentido. ¿Pero por qué soñamos? ¿Cómo podemos entender su lenguaje? Los sueños son la expresión de nuestros deseos inconscientes en los que reside la fuerza de nuestro ser. En la dimensión inconsciente habita nuestra vida instintiva y emocional; constatamos su existencia a través de los mensajes que recibimos de él, expresados por ejemplo en las imágenes oníricas. Los estímulos que intervienen para que se produzca un sueño pueden ser internos o externos.

Los estímulos internos pueden provenir del cuerpo. Por ejemplo, si nos duele el estómago, se puede soñar con tener algo pesado en el regazo, lo que representa al órgano que envía la excitación. Junto a estos, también hay otro tipo de estímulos subjetivos que actúan en nuestra vida. Desempeñan una función importante si estamos atentos a ellos, pues nos avisan de lo que deseamos y nos previenen para el futuro. Sus mensajes nos intentan proteger y descargar de alguna tensión interna que no ha encontrado otra vía de expresión.

Los estímulos externos pueden quedar incorporados a la trama del sueño, por ejemplo, el sonido del despertador.

Entre los símbolos oníricos más comunes se encuentra la casa, que representa al cuerpo. Lo femenino se visualiza en la fachada con saliente, pero también con estufas, habitaciones, estantes, cajones y barcos. El libro alude a la vagina; el armario, al seno materno. Lo masculino se identifica con casas de muros lisos, además de con abrigos, armas, bastones, corbatas, cuchillos y máquinas. Los sueños son los mensajeros de nuestros deseos y conviene escucharlos.

El lenguaje onírico

Nuestros sueños poseen dos tipos de contenidos:

—El contenido manifiesto: es lo que percibe el que sueña y el relato que hace de ello. Se trata de imágenes que se pueden recordar mejor si se les pone palabras. Para que se produzcan estas imágenes se ha realizado un trabajo psíquico por el que la persona intenta expresar un deseo de forma disfrazada. Esta es la razón por la que la mayoría de los sueños, salvo algunos infantiles, son en apariencia absurdos.

—El contenido latente: es el conjunto de significaciones a las que conduce el análisis de las imágenes oníricas. Ya descifrado, no aparece como una narración formada por imágenes, sino como una organización de pensamientos que expresan aquellos deseos que son reprochables para el que sueña. Se manifiestan de forma incongruente, porque albergan recuerdos de infancia e impresiones corporales censurables

Imágenes oníricas

La elaboración onírica provoca sueños de infinitos contenidos manifiestos. Dentro de esta variación, hay sueños que muestran un contenido similar. Freud distinguía algunos sueños típicos:

—Avergonzarse ante la propia desnudez. Nos hallamos desnudos ante extraños, queremos huir o escondernos, pero entonces somos atacados por una parálisis que nos impide movernos. En estos sueños se cumple un deseo exhibicionista del sujeto.

—La muerte de personas queridas. Los deseos que se muestran como realizados en este sueño no son actuales, sino pasados y reprimidos. La muerte de una persona querida puede aludir a antiguos deseos infantiles, en los que se ama u odia a los padres con la misma intensidad, debido a deseos incestuosos hacia ellos. Estos afectos son normales en la infancia

—Perder el tren. Intenta aliviar el sentimiento angustioso de la muerte. Partir es símbolo de morir. El sueño nos dice que no moriremos.

Julia: el enigma de una despedida

Julia tiene un sueño en el que se ve corriendo desnuda por la calle. Trata de esconderse en los portales para que la gente no la vea, y lleva en su mano un papel que se coloca entre las piernas, a la altura del pubis, para taparse. No se atreve a mirar a las personas con las que se cruza y supone que todos tienen los ojos clavados en ella. En esto, tropieza con un hombre y el papel cae de sus manos. Una vez en el suelo lee la palabra «despedida» escrita en él. La angustia que le produce esta palabra le hace despertar, pero continúa inquieta sin saber por qué. Su trabajo marcha bien. Más que eso: la oficina es un lugar donde se encuentra segura.

Sin embargo, cinco meses más tarde recibe una carta de despido. Entonces se acuerda del sueño. ¿Se trataría de uno de esos sueños premonitorios? ¿Cómo es posible que meses antes esa palabra soñada anunciara una situación que vive ahora en la realidad?

Julia tiene pareja desde hace tres años, pero mantiene relaciones con un compañero de trabajo unos años más joven y con el que ha descubierto una sexualidad que creía imposible en ella. No entiende qué le ocurre y se encuentra prisionera entre el amor a su pareja y la atracción hacia su compañero. Atrapada entre estos dos hombres, no sabe qué hacer. Ser despedida del trabajo significa alejarse de uno de ellos. El sueño de Julia hablaba de ese deseo: quería «despedirse» de esa relación que había empezado a complicarle la vida y de la que ella quería salir, aunque no sabía cómo. De hecho, ni siquiera sabía por qué la había comenzado. ¿Era solo una atracción sexual? Y si se trataba de eso, ¿qué provocaba que fuera tan buena con el compañero de trabajo y tan *light* con su pareja estable?

Julia es la menor de tres hermanos. Su padre era bastante dominante y siempre tenía que quedar por encima de su madre, que se quejaba de ese modo de relación, aunque nunca delante de su marido. Julia no soporta la idea de que un hombre la domine. Tiene asociado el sexo a la relación de poder y por eso disfruta más en la relación sexual con su compañero de trabajo, ya que, al ser más joven, es ella la que se siente fuerte, lo que aumenta su excitación. El sueño era una señal de que quería despedirse de su compañero de trabajo. El problema es que esta despedida la deja sola frente a su pareja, con quien se siente desnuda e indefensa como mujer, es decir, dominable. No quiere reconocer su dependencia afectiva de él, porque la identifica con ser dominada, como le ocurría a su madre. En su sueño, Julia expresa el deseo de ser despedida porque ella es incapaz de tomar la decisión.

Si el compromiso afectivo con un hombre promueve aspectos emocionales que provocan una fragilidad excesiva, se organiza una defensa psicológica para evitarlo. Esta defensa puede consistir en rechazar la relación con todos los hombres, o en encontrar siempre al hombre equivocado, o en romper antes de que se cree un vínculo que pueda provocar dolor. Otro modo de defenderse de un lazo emocional incómodo consiste, como en el caso de Julia, en tener más de una relación. ¿De qué se defendería? De quedar atrapada en una relación dual, donde vive al otro como a un invasor de su intimidad, quedando ella en la posición, real o imaginaria, de ser dominada.

Julia también defiende una necesidad de libertad que siente peligrar con una sola pareja: no es raro el rechazo a la relación tradicional, sobre todo si se ha registrado como dañina para la mujer. Sentirse independiente le es imprescindible para no agobiarse y confunde la soledad con la independencia. Pero como no quiere renunciar a las relaciones amorosas, las mantiene con más de un hombre, evitando así comprometerse a fondo con uno de ellos. En la actualidad, y gracias a la independencia económica alcanzada por la mujer, se trata de una opción posible.

Dos hombres pueden compensar, como le ocurre a Julia, la falta de un padre que no pudo estar presente en el desarrollo emocional de su hija y evitar que la ambivalencia sentimental que tuvo hacia él se repita si solo hay un hombre en el que depositar el afecto.

DESPISTES Y EQUIVOCACIONES

Las equivocaciones, los despistes, los errores nos muestran que hay algo más allá de nuestra voluntad que nos hace actuar. Esto se debe a que nuestro mundo interno guarda todo un arsenal de deseos e impulsos que intentan salir y que se cuelan a través de esos despistes intentando escapar a nuestro control consciente.

Confundirse de dirección y llegar tarde, llamar por teléfono a una persona cuando queríamos hablar con otra, olvidarnos de una cita, dejar las llaves en la puerta, meter el móvil en la nevera, salir a la calle en zapatillas, llamar a tu pareja por el nombre de otro... Estas son algunas de las equivocaciones que cometemos. ¿Tienen algún significado? En principio, podemos afirmar que la mayoría de estos pequeños acontecimientos intentan llamarnos la atención sobre algo que habita en nuestro interior.

En ocasiones hacemos algo diferente a lo que teníamos pensado. De este modo, algo que desconocemos en nosotros mismos intenta acceder a la conciencia y de esta forma ser reconocido por nuestro yo.

Es lo que les ocurre a Graciela y Antonia.

Graciela: un móvil en la nevera

Graciela metió el móvil en la nevera y cogió un yogur. Mientras se lo tomaba, pensaba que tenía que volver a la clínica a ver a su madre. Luego se dirigió al salón para coger el bolso y salió corriendo de casa. Cuando llegó al coche le fue imposible entrar en él, no encontraba las llaves. Fue a mirar la hora, pues se le estaba haciendo tarde, pero también se le había olvidado ponerse el reloj. ¿Dónde lo habría dejado? No importa, mirará la hora en el móvil y avisará que está en camino, pero el móvil no aparece. O sea, que tampoco puede llamar a la clínica para avisar. «Cuanto llegue a la clínica y cuente lo que me ha ocurrido, a nadie le va a extrañar», piensa. Graciela tiene fama de ser muy despistada. Su madre es todo lo contrario. Ordenada y muy controlada, se refiere a estas características de su hija con cierta benevolencia, no exenta en el fondo de una crítica, diciendo que es como su padre.

Graciela era imaginativa y muy creativa. Se dedicaba a ilustrar cuentos para niños, y los despistes, según su madre, eran atribuidos a lo cerca que se hallaba del mundo infantil. Sin embargo, esa característica era para Graciela una conquista personal. Tenía facilidad para entender a los niños, no por ser infantil, sino porque se conoce bien a sí misma y puede acercarse sin temor al mundo de los impulsos y de las fantasías que sirven para entenderlos.

La conquista de la identidad pasó precisamente por diferenciarse de su madre en ese rasgo que, más que asimilarla al padre, le daba la posibilidad de sentirse distinta de ella. Si bien el amor al padre, que era arquitecto y al que había visto dibujar planos toda su infancia, estaba detrás de su amor por el dibujo.

El cúmulo de despistes que había sufrido hoy tenía relación con que estaba sobrecargada de trabajo. En esos momentos era cuando su mundo interno protestaba y se mostraba con un rasgo que la había hecho diferente. Era una forma de afirmarse, de protegerse. A Graciela le gustaba ser así y cuando los despistes se acumulaban ella se reía y procuraba pensar qué le estaba pasando. Sabía que eran mensajes de su inconsciente y había aprendido mucho de sí misma al escucharlos. Algunas de las ilustraciones que más le gustaban habían sido el resultado de una equivocación. El móvil le obligaba a estar disponible en todo momento para acudir a la llamada de su madre; el reloj le marcaba la hora de tener que dejar lo que quería para acudir a sus obligaciones; y las llaves del coche también la conducían a la clínica. No le apetecía ir ni escuchar las interminables quejas de su madre, que no era una enferma fácil.

Antonia: un mensaje de amor

Cuando Antonia llegó a su casa, era la una de la madrugada. Entonces sonó en su móvil la sintonía de aviso de mensaje. Lo abrió y leyó: «Hace solo cinco minutos que te espero, pero ya me parecen una eternidad. Han tardado mucho en irse y quiero estar solo contigo. Te quiero».

Antonia se quedó perpleja. Ya le gustaría que su pareja le dijera algo así, pero alguien se había equivocado. De repente, advirtió que había confundido por error el móvil suyo con el de su amiga, que eran idénticos. Llamó a su amiga desde el teléfono fijo y le contó su equivocación. De paso, le dijo que se lo había pasado muy bien en su fiesta de aniversario. Hacía muchos años que la conocía y le parecía envidiable la relación que mantenía con su pareja, de la que tenía dos hijos estupendos y preciosos con los que en estos días disfrutaba un montón. Se había pasado varios días comprando los juguetes para la noche de Reyes. Antonia no podía evitar envidiarla. Cuando dejó de hablar con ella, suspiró y se dijo a sí misma que le gustaría ser su amiga. Entonces se preguntó: «¿Por qué yo ni siquiera me he planteado tener hijos?». Y con esta pregunta comenzó a reflexionar sobre aspectos de su vida que no tenía nada claros. Luego se fue a la cama. Esa noche soñó que los Reyes le traían un bebé. Entonces Antonia, que era una mujer muy reflexiva, comenzó a hablar con su pareja sobre la posibilidad de tener un hijo.

En el caso de Antonia, su equivocación con los móviles fue la luz que le condujo a plantearse algo que le resultaba un poco conflictivo, pero la ayudó a reconocer su deseo.

Las equivocaciones son mensajes de nuestro inconsciente. Pueden ocurrir cuando estamos sobrecargados de tareas, porque en ese caso nuestro «yo» se encuentra más frágil, pero también cuando tratamos de acallar algún deseo importante que no hacemos consciente porque pensamos que nos puede traer algún conflicto. Lejos de ello, intentar extraer el mensaje de nuestras equivocaciones solo puede liberarnos de algo interno que estábamos silenciando y que intenta expresarse.

Cuando sufrimos muchos despistes es porque tenemos una sobredosis de realidad psíquica que demanda ser escuchada. Lo más responsable y saludable para con nosotros mismos es que tratemos de averiguar lo que nos pasa.

Con frecuencia se levanta una crítica, incluso severa, hacia este tipo de actos. Esto se produce porque hay una ignorancia de cómo funciona nuestro psiquismo y, sobre todo, una negación de nuestro inconsciente. Esta negación se da porque el reconocimiento de esta instancia rompe la idea omnipotente de que todo lo que hacemos esta dominado por nuestra voluntad consciente.

Olvidar los papeles si vamos a dar una clase; salir en zapatillas; ponernos un pendiente distinto en cada oreja; meter el jabón en la nevera... Son cosas que a cualquiera le pueden ocurrir, si bien hay personas en las que es más habitual que en otras.

Se puede llegar a ser razonablemente feliz

La felicidad exige un cierto conocimiento de la infelicidad. La alegría del encuentro con alguien a quien queremos procede en parte del conocimiento del dolor que nos produciría su pérdida. La dicha, como el amor, se construye sobre un fondo de ausencia, sobre la certeza de que se puede perder.

Alcanzar un estado de mayor bienestar es posible si se tiene en cuenta que, aunque el pasado no se puede cambiar, sí podemos modificar la mirada que tenemos sobre él. Esa nueva mirada nos enseñará multitud de cosas: que se puede vivir, por ejemplo, sin buscar permanentemente la aprobación de los demás. Conviene reflexionar sobre lo que nos parece más importante en la vida y aprender a disfrutar de lo que gusta. Si no se consigue, quizá se está dominado por un sentimiento de culpa que no se reconoce.

La culpabilidad inconsciente es uno de los mayores generadores de infelicidad en el ser humano. Su presencia nos induce a creer que no somos merecedores de lo que tenemos, de modo que para calmar ese sentimiento de culpa nos privamos de lo que nos proporciona placer.

El deseo de cambiar aparece cuando la mujer comienza a preguntarse sobre sí misma y desea entenderse.

Paz: ¿amor o costumbre?

«Año nuevo, vida nueva», apuntó Paz en la primera hoja de la agenda. Quería cambiar, quería que su vida se renovara. Junto a la frase anterior había apuntado otra más preocupante por lo que podía significar: «Me encantaría coger una gripe que me dejara en la cama una semana». Deseaba estar sola, descansar y que le dieran todo hecho, deseo que solo se podía permitir a condición de caer enferma. ¿Y si se había equivocado en todo?

Su matrimonio pasaba por un momento de tedio total, la rutina y la falta de tiempo habían dejado la relación sin aliciente alguno. ¿Estaba con él por amor o por costumbre? En cuanto a su trabajo, se había convertido en una lucha sin cuartel donde el deber se había tragado el placer. ¿Trabajaba en lo que le gustaba o se había dejado llevar por lo que se esperaba de ella? Y luego estaban sus hijos, que a veces le hacían plantearse si era buena o mala madre.

Su necesidad de cambio coincidía con el nuevo año, quería que también algo nuevo entrara en su vida. ¿Por dónde empezar? Su marido no le prestaba la mínima atención, sus jefes no la valoraban lo suficiente y sus hijos no la escuchaban.

Para cambiar la situación personal lo primero que hay que hacer es dirigir la mirada hacia dentro. Al hacerlo, Paz se dio cuenta de que siempre anteponía las necesidades de los otros a las suyas. Así, aunque estaba molesta con su marido porque se sentía sola con la casa y con los niños, no le decía nada. Los reproches fueron sustituidos por un resentimiento silencioso que la alejó de él. Su necesidad de reconocimiento en el trabajo, por otra parte, la obligaba a decir que sí a todo lo que le pedían, aunque no estuviera de acuerdo, y ello le hacía sentirse una autómata. En cuanto a sus hijos, no sabía ponerles límites sin pasarlo mal...

Paz necesitaba desesperadamente la aprobación de los demás y eso la alienaba, pues siempre estaba dispuesta para el deseo de los otros, pero no para los propios. Cuando los deseos personales quedan enterrados para responder a los de los demás, se produce una alienación que convierte la vida en insatisfactoria y aburrida.

Clara: «Ojos que no ven, corazón que no siente»

Qué aburrido hubiera sido ser feliz, tal era el título del libro de Marguerite Yourcenar que Clara pensaba regalarle a su hermana estas Navidades. Se trataba de un obsequio envenenado, pues no podía soportar la felicidad de su hermana, unas veces porque le parecía la felicidad de los tontos y otras por pura envidia. Clara se enfrentaba una vez más a la cena de Nochebuena haciendo buenos propósitos para pasarlo bien, pero lo cierto es que cada año le resultaban más tristes las Navidades.

Ella debía de ser la rara, porque todos parecían felices o al menos lo fingían. Desde que su padre muriera, esa noche, alrededor de su madre, siempre se evocaba la bondad del desaparecido. No era cierto. Su padre, sin ser malo, había sido un neurótico que terminó alcoholizado, hecho negado por toda la familia con consecuencias psicológicas nefastas para el hermano de Clara, que «casualmente» había comenzado a beber en exceso. Tampoco nadie parecía darse cuenta de esto, quizá porque aceptarlo habría significado aceptar también el alcoholismo del padre y destrozar el mito de familia feliz que trabajosamente habían construido. Los conflictos que no se elaboran psicológicamente se repiten: por ejemplo, el hermano de Clara se identifica con su padre en ese rasgo y repite en él algo que se niega a ver en su progenitor.

A Clara, que es abstemia, le costó mucho aceptar el desamparo que sintió frente a aquel padre, y en algún momento intentó hablar con su hermano del alcoholismo de su progenitor, pero se encontró un muro de silencio. Ella quería comprender, lo que significaba hurgar en la historia familiar, cosa a la que nadie parecía dispuesto. «Ojos que no ven, corazón que no siente», parecían querer decir con su actitud negadora. Clara, que durante años asistió a una psicoterapia, acabó abriendo los ojos para aceptar que su padre, que era un hombre neurótico, no pudo hacer otra cosa. Él no fue feliz, pero ella aprendió, después de aceptar la complicada relación que ambos tuvieron, a mirar su historia de otra forma y llegar de este modo a un acuerdo consigo misma que le proporcionó una felicidad relativa.

Aquello que nos hace sentir mal y que no se quiere enfrentar con el argumento de que se es más feliz en la ignorancia, responde a una idea equivocada de cómo funciona el psiquismo, pues solo enfrentando y comprendiendo nuestros miedos podremos también alcanzar el bienestar. Si no hemos sido capaces de hacerlo, pasamos la pelota a quien viene detrás, es decir, a la siguiente generación. Por ejemplo, cuando en una familia como en la de Clara se niegan los conflictos del padre, se está abonando el terreno para que uno de los hijos repita ese conflicto. Ser felices hoy es posible si hemos sabido soportar el dolor de ayer.

¿Se puede modificar nuestro destino?

¿Qué es el destino? ¿Se puede modificar? ¿Desde dónde se escribe? Hay dos respuestas posibles a esta última pregunta: desde el exterior o desde el interior. Se puede tener la sensación de que la vida, feliz o no, es en resumidas cuentas lo que tú has decidido que sea y que la escribes tú misma teniendo en cuenta las circunstancias. Pero también se puede tener la impresión de que las presiones y coacciones exteriores fueron tantas y de tal calibre que una solo fue un juguete en sus manos. En tal caso, la impresión es que el destino se escribió desde fuera. ¿Es posible variar esta situación? ¿Cómo?

La terapia psicoanalítica apuesta por la posibilidad de que el destino de la persona se escriba más a partir de ella misma que bajo el dominio de las condiciones que le son impuestas. Lo que se consigue extrayendo poco a poco una evidencia, y es que las llamadas condiciones exteriores son, en gran medida, consecuencia de las interiores. Estas son modificables. Ser consciente de ello constituye uno de los objetivos del tratamiento. Tomar conciencia de tal posibilidad permitiría a una persona comenzar a sentir que dirige su vida.

Todos tenemos una base formada por determinados elementos, empezando por los del cuerpo, con sus posibilidades y limitaciones. Luego están los condicionantes culturales y familiares, pues todos somos hijos de una madre, de un padre y de un ambiente sociocultural. Nuestro psiquismo se estructurará de acuerdo a identificaciones y deseos (unos posibles, otros imposibles) que se tienen que asumir.

No se puede negar el peso de todas estas coacciones ni la forma en que orientan el destino de cada uno. Sin embargo, la tendencia de algunas personas a considerarlas absolutas e irreductibles está al servicio de una posición pasiva, de no hacerse responsable de lo que nos ocurre en la vida. Al igual que siendo niños dependíamos de nuestros todopoderosos padres, ahora, de adultos, creemos estar en manos del destino.

Inés recordaba su historia ahora que estaba a punto de nacer su segundo hijo. Tenía treinta y nueve años y su historia no era la misma que cuando llegó al tratamiento psicoanalítico, porque ella había cambiado la forma de vivirla. ¿Cómo había ocurrido esto?, se pregunta. ¿Por qué antes se sentía arrastrada fatalmente hacia el abismo y ahora era dueña de su vida? Había costado trabajo y tiempo, pero había merecido la pena.

Cuando tenía veintiocho años, y como consecuencia de una depresión, comenzó un tratamiento. Recuerda las primeras palabras que dijo a su psicoanalista: «Pasó lo que pasó, nunca se podrá remediar, no podrá cambiar nada de lo ocurrido». En la segunda entrevista comenzó a relatar un recuerdo que tenía sobre ella efectos traumáticos: «Cuando tenía doce años, mi padre se acercó a mí de forma demasiado cariñosa, yo era su preferida y solía mirarme los senos de forma sospechosa, recuerdo con verdadero horror cómo me miraba. Mi destino está marcado, no tendré hijos».

Siempre se había sentido utilizada por su padre y con un odio hacia él que había construido a partir de aquel recuerdo que estropeaba la relación con cualquier hombre. No sabe cómo se desarrolló el análisis de aquel suceso, pero sí que dejó de tener sobre ella el efecto patológico anterior. Durante el tratamiento, comenzó a considerar que concentraba en su padre un odio que no le correspondía solo a él, que había exagerado la actitud de su padre. Había convertido aquel incidente en algo muy nocivo. Lo vivido de forma incestuosa había sido fruto de sus propios deseos censurados, que poblaban su realidad psíquica. Lo que no podía ver era que tanto ella como su padre eran rechazados por su madre, una mujer distante, que seguía enamorada de su primer amor. Cuando Inés dejó de odiar al padre y colocó tanto a este como a su madre en sitios muy diferentes, dejó también de relacionarse con hombres que no querían tener hijos.

El análisis humaniza a personajes que antes eran una caricatura porque se veían con los ojos de la infancia. Te hace más indulgente y te libera de ataduras emocionales que no dejan crear lazos nuevos. Es un proceso en el que el padre y la madre se convierten en seres humanos con defectos y debilidades. Y no por ello se les quiere menos. Muy al contrario: se les llega a querer como son. Es muy frecuente que este proceso despierte el deseo de ser padre o madre porque ya no hay conflictos infantiles que lo impidan.

De este modo el destino puede cambiar y la historia reescribirse desde una posición de adulto.

Dar una opción al «destino»

Algunas personas aparecen marcadas por desgracias o fracasos encadenados, como si estuvieran sometidas a una fatalidad o un destino empeñado en arruinar su vida. Con frecuencia, para intentar explicar esa sucesión de desgracias, se echa mano del azar. Sin embargo, esta tendencia a reproducir lo que nos duele o nos frustra proviene del inconsciente, que nos obliga a repetir aquello que no podemos recordar. El psicoanálisis nos conduce al recuerdo para dejar de repetir.

Freud resumía estos fenómenos de nuestro psiquismo con la expresión, ya acuñada, de «compulsión a la repetición». Tal compulsión se caracteriza por una fuerza de la energía psíquica que tiende a repetir algo que en su momento produjo una excitación elevada, aunque fuera dolorosa.

Estos sucesos se manifiestan como una fatalidad externa, de la que el sujeto se siente víctima al desconocer los mecanismos que se han puesto en marcha para volver a sufrir algo que rechaza.

Irene: palabras en lugar de lágrimas

Habían pasado varios años desde que Irene empezó a acudir a la consulta de su psicoanalista. Dentro de pocas semanas acabaría su tratamiento. Estaba contenta, pero también un poco triste porque tenía que despedirse de la persona que le había devuelto el deseo de vivir. Se sentía una mujer nueva, capaz de hacerse cargo de su vida y disfrutar de ella, como si un motor se hubiera puesto en marcha en su interior.

A lo largo de su análisis se había hecho fuerte, reconociendo todas sus debilidades y aceptando el origen de sus miedos. Gracias a este reconocimiento, había consolidado lo que tenía, reconociendo sus carencias, pero sin culparse por ellas. Había aprendido a quererse, a cuidarse y a comprenderse. También a perdonarse. En cierto modo, era como si hubiera reescrito su historia. De hecho, al repasar su vida, sesión tras sesión, al hablar de su vida tal y como ella la había inscrito dentro de sí, se había encontrado con un libro mal escrito por otros, lleno de errores y de páginas inacabadas o en blanco, plagado también de fantasías desconocidas y sueños por realizar. En ese relato que había ido tejiendo había construido una historia que ahora sentía propia. Era como si hubiera vuelto a nacer, había salido del sufrimiento y se había encontrado con el placer. Había aprendido a vivir.

Irene acudió a un psicoanálisis a causa de una crisis de angustia. Estaba harta de tomar pastillas y quería saber qué le ocurría para que su vida fuera tan mal. Su matrimonio estaba a punto de naufragar y ya estaba cansada de fracasar en sus relaciones de pareja. Su vida laboral era un desastre. Discutía siempre con sus superiores, sobre todo si eran mujeres. Era enfermera y ya le habían cambiado dos veces de puesto de trabajo. Cuando tuvo la primera entrevista con su psicoanalista, tenía miedo; creía que la iba a hacer sentirse culpable de todo lo que le ocurría. Pero no fue así. Recordaba cómo había llegado a la consulta la primera vez, sujetando en su mano un papel con la dirección, que no había logrado memorizar. Cuando entró, comenzó a contar cuestiones acerca de su familia. Su psicoanalista le dijo:

—No me cuentes la historia de ellos. Háblame de lo que te pasa a ti.

Irene comenzó a llorar desconsoladamente, no sabía por qué. Aquella mujer apenas se inmutó, incluso tardó en ofrecerle el pañuelo que tanto necesitaba. Esa lentitud era el aviso de que ella la acompañaría en el camino que acababan de empezar juntas, pero sería Irene quien tendría que hacerse cargo de las razones de su llanto.

Aquel día le señaló elementos que se repetían en algunos de sus fracasos y las palabras fueron haciendo desaparecer las lágrimas, que no le dejaban nombrar quién era ella y qué le pasaba. Salió de allí pensando que su vida podía ser vista de diferente forma, y que aquella mujer la iba a acompañar para que se hiciera responsable de su historia. Descubrió dentro de sí a una niña enfadada con su vida y construyó una mujer reconciliada consigo misma. Abandonó la posición infantil de culpar al destino por sus fracasos y se enfrentó a la difícil tarea de comprender las razones ocultas que determinaban su vida y que antes solo había sido capaz de atribuir a la mala suerte. Todavía recuerda una sesión en que vio cómo el odio a sus superiores, que arruinaba sus relaciones laborales, no era más que una réplica de un antiguo rencor que tenía hacia su madre. Y lo mismo le ocurría con sus parejas.

Lo que Irene no podía soportar era sentirse sometida a otro u otra. Lo curioso es que, a lo que en verdad estaba sometida, era a una fantasía en la que se colocaba como víctima del deseo de los otros. Gracias al esclarecimiento de esta fantasía se vio liberada de esta posición en la que ella, inconscientemente, se situaba.

El psicoanálisis descubrió que, en muchas ocasiones, no es la realidad externa la que causa el sufrimiento, sino la interpretación que se hace de ella, según la idea o el fantasma que se forja a partir de conflictos crónicos que actúan inconscientemente. Los conflictos infantiles se enquistan dentro de nosotros y falsean nuestra relación con la realidad. Los sentimientos inconscientes de odio, amor y angustia que Irene sentía hacia su madre (más bien hacia la imagen interiorizada que tenía de su madre) podían arruinarle su vida laboral y amorosa.

Romper las cadenas

La primera entrevista con un psicoanalista es ante todo un encuentro con uno mismo, con un «sí mismo» que intenta salir de la falsedad en la que se halla encerrado. Lo que Irene fue a buscar al psicoanálisis era una nueva construcción de su identidad. El tratamiento consistió en tejer su propia historia. Era como volver a nacer. En ese camino tuvo que bucear en todo un mundo desconocido, pero propio. Conoció el sentido de sus síntomas, perdonó la neurosis de sus padres, encontró algunas verdades fundamentales que habían dirigido su vida, descubrió sus deseos y decidió enfrentarse a su realización dentro de sus posibilidades. Había sido un proceso semejante al que necesita la larva para convertirse en mariposa. Tardó varios años y, en algunos momentos, se desanimó, pero ahora que había acabado le parecía la mejor inversión de su vida. Tenía la impresión de haber roto las cadenas que la ataban al pasado, se sentía liberada de un peso que siempre había oprimido su corazón.

¿Qué es un psicoanálisis? ¿En qué consiste? El psicoanálisis es un método de autoconocimiento y se dirige a la búsqueda de la verdad individual, yendo más allá de los acontecimientos vividos, pues lo importante es la forma en que hemos participado en ellos. Es también una búsqueda de sucesos que, habiendo ocurrido solo en nuestra imaginación, han tenido una importancia esencial y siguen provocando efectos sobre nuestra vida. Cuando llegamos a conocerlos, desaparecen los síntomas, lo que no quiere decir que haya concluido el proceso, ya que la cura analítica consiste en una verdadera reconstrucción de la identidad partiendo, como base, del conocimiento del inconsciente. A este se accede por el análisis de los sueños, los lapsus, las fantasías y las repeticiones de sucesos, entre otros materiales anímicos.

Con el descubrimiento del psicoanálisis, Sigmund Freud nos legó un método científico para acceder a los componentes emocionales constituyentes del ser humano. Cuando una persona está alienada porque vive como propios los deseos ajenos, tampoco se entiende a sí misma y gasta su energía en defenderse de los conflictos que sufre. El método psicoanalítico nos da la posibilidad de saber cómo funciona nuestro psiquismo y por qué nos suceden las cosas que atribuimos al azar.

Sentirse bien con una misma depende de la relación que se tenga con lo que habita nuestro psiquismo. Si hay conflictos, siempre podemos investigar y elaborar psicológicamente lo que nos ocurre para romper con ataduras inconscientes que nos estropean la posibilidad de disfrutar de la vida que tenemos.

Laura: el relato de un tratamiento

Lo que empuja a acudir a un tratamiento psicoanalítico es fundamentalmente la impresión de no avanzar en la historia personal, de sentirse atado a mecanismos de repetición ligados a la infancia que escapan al control de uno. También la evidencia de que las relaciones con los otros son siempre problemáticas, así como la abundancia de fracasos amorosos, frustraciones en el ámbito del trabajo y, en general, la sensación de no ser querido o de no ser capaz de superar el duelo por una persona querida.

Laura nos explica por qué acudió a tratamiento:

—A los treinta años estaba cansada de sentirme mal, de ser infeliz, de no encontrar al hombre adecuado. Me enamoraba de quien no me quería, rechazaba a quien me cuidaba. Solo mi trabajo funcionaba bien, aunque sabía que no era lo que a mí me gustaba hacer y no disfrutaba haciéndolo. Mis amigas me dijeron que mi pareja, con la que llevaba cuatro años, no me convenía, pues sabían que me engañaba, pero no quise escuchar. Cuando él me dejó, diciéndome que no me quería, me hundí. Lo curioso es que se trataba de la tercera relación en la que repetía un esquema idéntico. Harta de mí misma y de repetir siempre la misma historia, decidí acudir a un tratamiento. Recuerdo de forma muy clara la sesión en la que mi analista señaló que los términos en los que hablaba de mi última pareja eran exactamente los mismos que los que había empleado para hablar de mi padre, que, aunque siempre vivió con nosotras, estuvo más ausente que presente. Estaba solo para él, siempre queriendo irse, sin poner ni afecto ni tiempo en mí. Esas palabras tan precisas, dichas en el momento oportuno, el momento en que yo las podía oír, alumbraron una parte de mi historia que yo hasta entonces no podía elaborar. Mi psicoanalista acababa de nombrar la realidad de mi infancia, marcada por la ausencia de mi padre, que estaba casado con su profesión y que siempre ocultó, con tanto trabajo, la dificultad para asumir la paternidad.

»El efecto de aquella sesión fue muy importante para mí, porque he conseguido desengancharme de ese tipo de hombre, ese que yo quiero que esté, pero que cuando está no me quiere. Ese hombre no era más que un trasunto de mi padre que confundía mis intereses afectivos. Pretendía que me quisiera aquel que no podía hacerlo. Estaba, en fin, atada a mi pasado. Una vez que lo aclaré, además de cambiar mi elección de pareja, pude disfrutar más de mi profesión, aceptar mejor mis posibilidades, conocerme y, hasta cierto punto, construirme de nuevo.

Cómo salir de la infelicidad

La curación que proporciona el psicoanálisis comienza a producirse cuando el paciente es capaz de escapar a la repetición, acepta la transformación e intenta conseguir que los procesos de creación obtengan ventaja sobre los procesos de destrucción. El objetivo del psicoanálisis no son solo los síntomas (fobias, depresión, etc.), sino la búsqueda del origen que los provocó.

Freud decía que el psicoanálisis ofrece al paciente la posibilidad de vivir, de amar, y de trabajar. Hasta cierto punto, le cambia la vida. Hay pacientes que se reinventan el futuro. Para el psicoanálisis lo que cuenta es que pueda sentir que su espacio psíquico se ha abierto y que algo se ha desanudado. Así, un buen día tiene la sensación de que el mundo le pertenece, de que ha crecido por dentro, de que los corsés en los que estaba aprisionado se han venido abajo, de que, por fin, puede atrapar la vida entre sus manos y puede disfrutar de lo que esta le ofrece.

Emprender una renovación vital

El momento oportuno para emprender una renovación es cuando el deseo de cambiar tiene más fuerza que la inercia de seguir inmovilizada en una situación empobrecedora. A partir de ese momento lo conveniente es hacerse responsable de las emociones que se sienten y de las decisiones que se tomen para intentar cambiarlas.

Los síntomas que conducen al cambio se anuncian con una insatisfacción que alcanza a uno o varios terrenos: el personal, el amoroso, el sexual... El aburrimiento, el tedio, el mal humor se han instalado en la existencia, la dominan y comienzan a apropiarse de ti. Entonces aparece un saludable deseo de saber qué es lo que está pasando. Es el momento de preguntarse qué sentido tiene la vida.

Reconocer nuestros sentimientos, aceptarlos y meditar sobre ellos es muy saludable. Cuando se analizan y se les pone nombre, nos conocemos mejor. Solo admitiéndolos podemos llegar a dominarlos.

Cualquier momento es bueno para comenzar a cambiar las cosas, pero para que se produzca una renovación vital hay que comenzar por desearlo. Tras ese movimiento interno se esconde la pulsión de vida que apunta a conseguir el placer en un intercambio gratificante y creativo con el mundo que puede consistir en la elección de una psicoterapia, camino adecuado para lograr nuestro objetivo.

Bibliografía

Anzieu, A., *La mujer sin cualidad,* Biblioteca Nueva, Madrid, 1993.

Anzieu, D., *El yo piel*, Biblioteca Nueva, Madrid, 1994.

— *Psicoanalizar,* Biblioteca Nueva, Madrid, 2001.

Berenstein, A., *Vida sexual y repetición*, Síntesis, Madrid, 2002.

Bonaparte, M., *La sexualidad de la mujer,* Ediciones Península, Barcelona, 1972

Bowlby, J., *La separación afectiva,* Paidós, Barcelona, 1985.

— *Una base segura,* Paidós, Barcelona, 2002.

Chasseguet-Simiegel, J., *La sexualidad femenina,* Biblioteca Nueva, Madrid, 1999.

Dolto, F., *Lo femenino,* Paidós, Barcelona, 2000.

— *Sexualidad femenina,* Paidós, Barcelona, 1987.

Eichenbaus, E. L. y Orbach, S., *¿Qué quieren las mujeres?,* Talasa Ediciones, Madrid, 1995.

Erikson, E. H., *El ciclo vital completado,* Paidós, Buenos Aires, 2000.

Fenichel, O., *Teoría psicoanalítica de las neurosis,* Paidós, México, 1992.

Freud, S., *La interpretación de los sueños*, Obras completas, vol. I, Biblioteca Nueva, Madrid, 1973.

— *Obsesiones y fobias,* Obras completas, vol. I, Biblioteca Nueva, Madrid, 1973.

— *Psicopatología de la vida cotidiana,* Obras completas, vol. I, Biblioteca Nueva, Madrid, 1973.

FREUD, S., *Sobre la sexualidad femenina,* Obras completas, vol. III, Biblioteca Nueva, Madrid, 1973.

— *La feminidad,* Obras completas, vol. III, Biblioteca Nueva, Madrid, 1973.

— *Duelo y melancolía,* Obras completas, vol. II, Biblioteca Nueva, Madrid, 1973.

FREUDENBERGER, H., *¡No puedo más!,* Grijalbo, Barcelona, 1998.

FROMM, E., *El miedo a la libertad*, Paidós, Buenos Aires, 1964.

GOLDIN, A., *Amores Freudianos,* Paidós, Barcelona, 1992.

HIRIGOYEN, M.-F., *El acoso moral*, Paidós, Barcelona, 2000.

ISRAEL, L., *La histeria, el sexo y el médico,* Toray-Masson, Barcelona, 1979.

LANGER, M., *Maternidad y sexo,* Paidós, Barcelona, 1983.

MAC DOUGAL, J., *Las mil y una caras de Eros,* Paidós, Buenos Aires, 1998.

NASIO, J. D., *Un psicoanalista en el diván,* Paidós, Buenos Aires, 2001.

— *El libro del dolor y del amor,* Gedisa, Barcelona, 1999.

PERRON, R., *¿Por qué y cómo psicoanalizarse?,* Biblioteca Nueva, Madrid, 2002.

SANGER, S., *La madre que trabaja,* Paidós, Barcelona, 1991.

SPITZ, R., *El primer año de vida del niño,* Fondo de Cultura Económica, México, 1995.

TANNEN, D., *Tú no me entiendes,* Vergara, Buenos Aires, 1995.

TORDJMAN, G., *Cómo comprender las enfermedades psicosomáticas,* Granica, Barcelona, 1978.

WINNICOTT, D. W., *El hogar, nuestro punto de partida,* Paidós, Buenos Aires, 1996.

— *Escritos de pediatría y psicoanálisis,* Laia, Barcelona, 1981.

— *La naturaleza humana,* Paidós, Buenos Aires, 1996.